ANDREA CHAPELA

ANSIBLES, PERFILADORES
Y OTRAS MÁQUINAS DE INGENIO

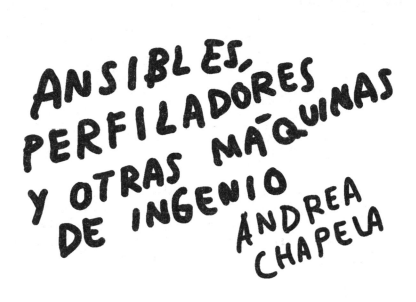

ANSIBLES, PERFILADORES Y OTRAS MÁQUINAS DE INGENIO

ANDREA CHAPELA

Almadía

NARRATIVA

Este libro fue escrito con el apoyo de la beca Jóvenes Creadores del Fondo Nacional para la Cultura y las Artes de México en la categoría de cuento durante el periodo 2016/2017.

Primera edición en Almadía Ediciones S.A.P.I. de C.V.: agosto de 2020
Segunda edición: agosto de 2021
Primera edición en Almadía Aljosan S.L.: mayo de 2022

ISBN: 978-84-125205-2-1

Para Alicia Hernández

A good science fiction story should be able to predict not the automobile but the traffic jam.
FREDERIK POHL

90% REAL

Error. Realidad a un 90%.

Parpadeo, pero el mensaje todavía está flotando contra el techo y tardará algunos minutos en desaparecer, sobre todo si tengo un problema con mi telón sensorial. Pero, ¿solo 90%? Chale. He esperado un *reality glitch* durante meses y cuando pasa, solo tengo un 10% de error. Qué decepción.

Podría pasar el día en casa, segura y sin ponerme en riesgo, o reiniciar, pero esa opción es un poco peligrosa. En el curso de iniciación nos dijeron que uno puede perder cachos de recuerdos y no quiero desperdiciar mi primer error desde que Carlos se fue. Cada vez pasan menos seguido y estoy esperando uno desde hace tiempo.

Carlos y yo teníamos un plan para la próxima vez que alguno de los dos tuviera un día roto. Habíamos acordado que faltaríamos al trabajo y nos iríamos a recorrer el Centro para comparar percepciones. Caminaríamos del Zócalo hasta Bellas Artes y dependiendo de qué encontráramos, iríamos hasta el mercado de San Juan. Podría quedarme en casa como se aconseja en estos casos, pero ¿por qué abandonar mis planes solo porque él ya no está? Iré hasta el Centro, a pasear por las calles adoquinadas entre los edificios coloniales convertidos en tiendas de ropa y cafeterías. Esta es una oportunidad para recuperar esos lugares en la ciudad que me encantan aunque los conocimos juntos. Los reconoceré y los haré míos de nuevo.

Parpadeo hasta que las letras desaparecen y salgo de la cama. En la cocina encuentro a Dálmata, ronroneando tranquilo en su lugar de siempre, el rincón en el que pega el sol a las nueve de la mañana. Él no puede saber que para mí en vez de ser un gato pinto, ahora es verde eléctrico. Se desenrosca cuando me oye entrar y luego se detiene confundido. Me mira fijamente. Sabe que algo está mal, pero no entiende por qué no lo acaricio. Maúlla. Le abro una lata de atún para disculparme. Enciendo la cafetera. Suelta un pitido agudo que se me mete hasta lo más profundo del cerebro e incluso siento escalofríos mentales cuando el telón sensorial se estremece. El sonido es normal. Los escalofríos no lo son.

Dálmata termina de comer y se acerca a mí. Se restriega contra mis tobillos antes de soltar un pequeño maullido y transformarse en una serpiente. Suelta un siseo, se arrastra hasta volver al rincón soleado donde se enrosca verde y reptil. ¿Habrá sentido el cambio de naturaleza? ¿Tendrá ahora dudas existenciales sobre quién es realmente, como si puede seguir siendo quien es a pesar de la transformación? Bosteza antes de acurrucarse.

Bebo un sorbo del café. Necesita más leche. Me gustaría que el sabor a quemado fuera un error, pero es una incómoda y diaria realidad. La cafetera está a punto de morir y no sé cómo arreglarla. Desde hace días que tiene este zumbido terrible, parece que sufre, es un lamento moribundo, estoy segura. No es la primera vez que pasa, pero antes Carlos se ocupaba de esas cosas, de la agonía de mi cafetera o del lavatrastes que a veces decide que no puede funcionar más y empapa el suelo de la cocina.

Viviendo con Carlos me acostumbré a beber una taza de café al despertar. Sin azúcar, sin leche, porque eso es para personas que no saben nada de café. Era su costumbre y la adopté porque me pareció siempre muy adulto eso de despertarse, hacer café y sentarse a hablar mientras se revisa el estado del mundo en la red. Muy adulto, muy civilizado, muy irreal. Al final no significaba ni madres.

Le echo otra cucharada de azúcar a la taza y me bebo lo que queda.

Llamo a mi supervisor para avisar que no puedo ir a trabajar. Mientras hablo, acaricio a Dálmata, sus escamas verdes son suaves, como si estuvieran cubiertas de pelo. Es una sensación extraña, pero no desagradable. Mi supervisor me dice que me quede en casa y espere a que el telón se repare. Pero uno no puede desaprovechar los errores de realidad. No importa que sea un error tan pequeño, todavía puede pasar algo inesperado y tengo algunas horas antes de que se arregle. No me voy a perder pasear, recorrer la ciudad, ver qué me encuentro.

* * *

Salgo del departamento. Afuera el sol brilla amarillo, el cielo es del azul clarito típico del otoño en la Ciudad de México y el edificio todavía es de ladrillo naranja, como el resto de la unidad. Ningún otro cambio de color, entonces. A mi mejor amiga le pasó una vez con un *sync* del 70% que todos los colores se le revolvieron. Tuvo cambios inesperados, llegó a verlo todo en sepia, en blanco y negro, en negativo. Terminó por reiniciar y luego sus sensores de color estuvieron inestables por meses hasta que las secuelas desaparecieron.

Al cruzar el estacionamiento, me sorprende ver el Focus amarillo de Carlos estacionado entre los demás y me detengo frente a él. Carlos vendió el coche cuando nos mudamos juntos, pero recuerdo verlo por la ventana, estacionado afuera de mi edificio cuando me recogía después del trabajo, o ese viaje a Michoacán en el que nos perdimos y terminamos pasando la noche detrás de la casa de una señora sin saber que la playa estaba a pocos metros. Los recuerdos me duelen en el estómago sobre todo porque se sienten lejanos, como si le pertenecieran a alguien más.

En la reja me encuentro con el poli comiendo una torta de tamal. Por impulso busco la ventana de datos junto a su cabeza y no verla me despista. Termino mirándolo a los ojos porque no sé a dónde más ver. No tengo cómo saber su nombre, su edad, cuánto tiempo lleva de su turno o cualquier otra parte de su información pública. Un efecto secundario molesto, pero no desalentador.

—Uy, ¿un día roto, güerita? —dice entre mordidas echando una ojeada al monitor frente a él, donde puedo ver mi fotografía. La salsa verde huele fuerte, como si la tuviera debajo de la nariz o directamente metida en la cabeza.

Le sonrío con pena, se me había olvidado que sí transmito telemétrica y todos pueden ver el error.

—Sí, poli. Pero es pequeñito.

—Pues tenga cuidado. A mí esas cosas no me gustan, pero mi nieta sí está conectada. Yo le dije que tuviera cuidado, que no se anduviera con tonterías, pero hace algunas semanas tuvo que reiniciar y fue un desastre. Ya sabe usted cómo es la burocracia.

—Sí, poli. Oiga, una pregunta. El Focus amarillo, ¿de quién es?

—¿Qué Focus, güerita?

Me vuelvo. El coche ya no está. Los *glitch* de memoria son errores poco comunes, pero con mi actual estado emocional no me extraña que aparezcan. No estoy segura de si la posibilidad de que otros remanentes de mis recuerdos se presenten me da miedo o emoción.

En el trayecto hasta Tlalpan compro un vaso de mango con chile. No tengo alteraciones de sabor. El mango sabe al mango picosito de siempre. Los cruces de sabor son lo peor. No hay nada más desagradable que probar un mango y que sepa a bistec o a chilaquiles o a plátanos con crema.

La avenida está llenísima, pero eso es normal a las diez de la mañana. No quiero tomar un micro porque el día está bonito y la calle se ve diferente, como si la cubriera un velo o estuviera pintada de otro color, algo que es casi familiar. Cuando subo al puente peatonal me detengo a la mitad y desde la altura veo a los peseros pasar lentamente. Alguien baja la ventana y lanza un vaso hacia la calle. Hace una curva perfecta antes de golpear el suelo y desparramar su contenido. Me fijo porque se mantiene suspendido en el aire por unos segundos y después cae en cámara lenta. Eso es el velo que percibía. La ciudad está sucia. En cuanto me doy cuenta ya no puedo dejar de verlo. Hay basura en las coladeras, acumulada contra las paredes: vasos, papeles, pósteres políticos viejos y nuevos, restos de comida a media descomposición. Con mis filtros caídos, la ciudad pulcra a la que estoy acostumbrada desapareció y me encuentro mirando el esmog por primera vez en años. No lo había extrañado ni tantito.

Me subo al tren ligero en Estadio Azteca. El vagón va algo lleno y mejor me quedo cerca de una de las ventanas para ver los nuevos grafitis que el telón siempre me ocultaba. Cerca de División del Norte pasamos por uno que parece un mosaico, todas las piezas de colores distintos forman la imagen de un ajolote, sus branquias rosas se levantan como peinado punk y sonríe con una cara infantil. Hace unos años un grupo de conservación lo tomó como símbolo. Está tan bonito que voy a cambiar la configuración de mis filtros para poder verlo cuando el telón vuelva a funcionar.

Estos días no uso mucho el tren ligero. Lo usaba más antes porque Carlos y yo íbamos todos los fines de semana de paseo al Centro en busca de nuevos restaurantes, nuevas calles dedicadas a vestidos de novia o papel o electrodomésticos de décadas pasadas o zapatos de cuero. Pero he evitado ir desde que se fue. Cuando era niña acompañaba a mi madre a comprar los útiles escolares en las papelerías y ya adolescente con mis amigas cuando aún no teníamos identificación íbamos a los bares a reventar y, aunque teníamos que hacer cola, siempre nos dejaban entrar. El Centro me pertenecía y lo quiero de vuelta. Pero encontrarme con los remanentes de Carlos me hace dudar. ¿Debería regresar a casa? El tren ligero se detiene.

Cuando las puertas se abren, me quedo donde estoy. Su ausencia o presencia no me detendrán.

* * *

Me bajo en Taxqueña y al pasar los torniquetes, el mío se siente pegajoso. No pegajoso normal, como si alguien lo hubiera embarrado de dulce, sino pegajoso como si fuera un caracol que expulsa baba. Quiero regresarme a tocarlo, pero la gente cambiando de transporte me empuja pasillo abajo. Me miro la falda a ver si quedó alguna mancha de baba de torniquete, pero no hay ningún rastro. Dejo que la gente me arrastre de una salida a otra. Metro Taxqueña es la misma cosa de siempre: las mismas colas para ponerle dinero a las tarjetas, los torniquetes de metal no babosos, las escaleras pandeadas y con brillo de tantas pisadas. Me detengo. Sí, hay un brillo especial, como si todas las baldosas estuvieran iluminadas por debajo y las hubieran pulido tanto que desenterraron unas luces. Camino despacio con la mirada fija en el piso, pero no logro entender si está recién pulido o es cosa mía.

El metro llega justo cuando voy bajando la escalera. Me apuro para subirme, pero la puerta se cierra en mi cara. Me hubiera gustado que se transformara en el gusano naranja que llenaba mis pesadillas de niña, pero eso probablemente pasa con un error del 50%. Con eso pueden suceder cosas maravillosas o terribles, es una apuesta. Puedes llegar a volar, ganarte la lotería, encontrar una puerta hacia un universo paralelo, pero chance te devora un perro gigante o te capturan extraterrestres que solo hablan francés.

Estoy esperando apoyada en la pared cuando se me tapan los oídos. Es como subirse a un avión, pero sin el dolor. Abro y cierro la boca para ver si se destapan cuando el estruendo del siguiente metro me golpea. Puedo sentir las ondas de sonido en la piel, como si me cubriera una tela muy gruesa, hecha de fibras de vidrio. Las fibras se me pegan a los brazos y se sienten duras y frías de tan brillantes. No estoy segura de cómo explicarlo. Más que un sonido o una sensación es una ola que me envuelve y entonces el metro se detiene, abre sus puertas, mis oídos se destapan y los hilos de vidrio se escurren y me sueltan.

Me detengo en la entrada hasta que un vendedor de música me empuja justo antes de que las puertas se cierren. Lleva una bocina pegada al estómago, o más bien fusionada, pero no sé si es un error mío o solo nuevas actualizaciones corporales. El interior del metro de un color entre crema y verde tiene una atmósfera pesada, casi húmeda, como si fueran las seis de la tarde en un día de primavera caliente con el metro a reventar. Es la primera vez en mi vida que agradezco esa suavidad a mi alrededor.

Paso con dificultad entre la gente hacia el primer vagón que desde hace décadas es el "de mujeres" y me cruzo con un chavo en dirección contraria. De paso, casi por costumbre, intercambiamos una mirada. Por un momento creo que es la ausencia de la ventana lo que me sorprende, pero muy tarde entiendo que me recuerda a Carlos. Me giro buscándolo. El metro está llegando a Ermita y el muchacho espera junto a la puerta. Comienzo a empujar a la gente tratando de pasar, para alcanzarlo, pero hay demasiadas personas. Estoy apachurrada entre un hombre cargado de bolsas de compra y una mujer que se está maquillando cuando el metro se detiene. Carlos sale a empujones, amontonado entre la gente que baja y sube. Apenas veo su perfil, pero lo que me llena los ojos de lágrimas es el saco verde de pana. Ese saco que estaba siempre sobre el sillón porque Carlos se lo quitaba nada más llegar a casa y lo tiraba allí aunque sabía que me molestaba verlo fuera de lugar. Era su saco favorito, que se había comprado en Japón y que estaba ya tan gastado que en los codos las líneas de pana habían desaparecido.

Cuando logra bajarse, desaparece entre la gente en el andén. Me fijo en el ícono de la estación, la iglesia con fondo dorado y azul. Esta era la estación donde nos encontrábamos cuando yo todavía vivía en Mixcoac. Muchas veces me bajaba del metro para encontrarlo ya en el andén, leyendo un libro y esperándome. Cerca de aquí también están las oficinas donde tomamos el curso de iniciación, cuando la tecnología de ampliación de la realidad no había llegado a México pero ya existía en Asia. Creo que ese curso ya no es obligatorio, ahora solo firmas un contrato de servicios.

Estábamos en el último año de la carrera cuando acompañé a Carlos. Entonces solo éramos amigos. Él siempre fue un clavado de todo lo que tenía que ver con la tecnología. Se le metió la idea del curso porque desde hacía meses corrían rumores en foros de internet sobre los avances que Japón había hecho en los dispositivos cerebrales de sincronización. Según ellos la tecnología estaba a pocos años de salir al mercado.

—Estamos lanzando datos al mundo sin obtener ningún beneficio —me dijo un día que estábamos sentados en las Islas cerca de la Biblioteca Central, comiendo papas de carrito con salsa—. Google ya sabe todo, dónde estamos, qué nos gusta hacer, cómo se ve el espacio alrededor nuestro, sabe lo que comemos, qué desayunamos. Si tienes tu realidad ampliada, el telón puede darte recomendaciones en tiempo real, hacer copias de seguridad, puedes personalizar lo que ves. Eso es el futuro.

Me chupé los dedos, pero mis uñas seguían rojas. ¿Cambiarían esas cosas? ¿Podríamos tener una versión de la realidad más limpia? ¿Podría nunca volver a tener las uñas rojas después de comer salsa? ¿Querríamos?

Fuimos al curso y después, tal vez por eso, Carlos se ganó un lugar como *beta tester* en un concurso. Agarró sus cosas y se fue a Tokio a probar las últimas actualizaciones. Al principio me escribía de vez en cuando, pero después de un tiempo dejó de hacerlo. Yo estaba ocupada con la tesis y consiguiendo un trabajo para salirme de casa de mis papás. No volvimos a vernos hasta cuatro años después, cuando él volvió a México. Ya no era un conejillo de Indias para la compañía, sino un empleado de alto rango a cargo de la instalación latinoamericana.

Nos encontramos en la casa de unos amigos en común; unos días después descubrimos en un bar de la Condesa que todavía nos reíamos de los mismos chistes; a la semana en Coyoacán nos acordamos por horas de los años en la universidad mientras nos tomábamos un café, y poco a poco dejamos de hablar del pasado para hablar del presente y pensar en el futuro. Comenzamos a salir. Me hice la operación sensorial. Nos mudamos juntos. Mis novelas se mezclaron con sus manuales de uso, encontramos un equilibrio y aprendí a reírme cuando, en días lluviosos, abría la puerta del balcón y se paraba bajo la lluvia sin paraguas y me describía cómo sentía las gotas de forma distinta con los filtros de prueba. De vez en cuando probaba filtros carísimos de baja duración que aún no habían salido al mercado. Una vez me dijo que podía distinguir la silueta de los volcanes como si brillaran entre las nubes oscuras. Siempre decía que el telón nos había quitado el peso de todas las preguntas epistemológicas, recordándome esa clase de filosofía donde nos habíamos conocido. ¿Qué es la realidad? ¿Dónde está? ¿Es la realidad personal? Todas tenían respuesta ahora.

Pero hace cuatro meses todo se detuvo y él se fue de nuevo. Me confesó sus planes la última vez que estuvimos en el Centro. Como en otros paseos, habíamos tomado turnos para decidir qué hacer y estábamos descansando antes de volver a casa. O eso pensaba yo. Él llevaba todo el día tomando valor para decirme que había aceptado regresar a Japón. No sabía cuándo volvería. Mi confusión y enfado lo sorprendieron.

—Esto no funciona desde hace meses —me dijo.

¿En serio? Los dos trabajábamos muchas horas, él siempre se quejaba de lo poco que nos veíamos y hace tiempo que sentía que estábamos en una rutina, que estaba estancado en México, que quería volver a Asia. La explicación cambiaba, pero no la conclusión. Yo no había sentido nada de eso, pensaba que estábamos bien, que así se sentía compartir la vida. Esa noche hizo dos maletas y se fue. Después me asaltaron nuevas preguntas filosóficas. ¿Habíamos vivido la misma relación? ¿Había sido real o solo mi percepción personal? ¿Cuánto había filtrado sus molestias, su insatisfacción? ¿Por qué no hubo un aviso para saber cuándo nuestras versiones de la realidad eran ya tan diferentes que se habían vuelto incompatibles?

* * *

Esos días de hablar con él me parecen muy lejanos mientras, por la ventana del metro, veo pasar la Calzada de Tlalpan, la ciudad gris y sucia que ya había olvidado. Toda mi vida con él me parece muy lejana entre los sonidos de electromariachi, gringocumbia y *rock* en español, de vendedores de plumones, de lámparas y chicles, de conversaciones inalámbricas, entre los anuncios de las ventanas del metro que aparecen, desaparecen con estática. Vuelvo a empujar entre la gente hacia el vagón de mujeres que está un poco más vacío. Carlos ya no está y esta es ahora mi ciudad, mi *glitch*. No puedo seguir persiguiendo una ilusión. Necesito concentrarme. En los últimos meses he hecho un esfuerzo para reconstruir mi rutina, colocar nuevos filtros, hacer pequeños cambios, redescubrir mi lado de la cama, cómo guardar mi ropa, a qué horas comer. El cuerpo me pide tomar café, pero está bien, porque ahora le pongo leche y azúcar sin que nadie me critique. Unas por otras.

Después de San Antonio Abad, cuando el metro se hunde en la tierra y entra al túnel, siento que mis calcetines están mojados, como si el vagón hubiera comenzado a llenarse de agua, nos estuviéramos hundiendo, el lago de Texcoco estuviera reconquistando las profundidades y hubiera comenzado a colarse en el vagón, pero al mirar alrededor, no veo nada de agua. La humedad de primavera desapareció hace varias estaciones, pero los calcetines mojados me acompañan cuando me bajo en el Zócalo y salgo de la estación.

Me recibe un clima totalmente distinto, como si la hora de viaje me hubiera llevado a otro mundo donde el cielo lleva encapotado todo el día y sopla un viento helado. Parece que va a llover. Pero los cambios meteorológicos no tienen nada de raro en la Ciudad de México y menos ahora con el cambio climático.

Para ir a mi heladería favorita en Gante, tomo 5 de Mayo. La última vez que el gobierno hizo una obra en el Centro extendió las zonas peatonales entre las siete cuadras que van del Zócalo a Bellas Artes. De eso hace unos veinte años. Pero por lo demás la avenida no ha cambiado con respecto a las fotografías del siglo pasado, aquí siguen sus edificios coloniales de piedra negra con sus hileras de balcones y ventanas francesas. A pesar de que son viejos, ruidosos y fríos, son algunos de los departamentos más caros de la ciudad.

Camino dos cuadras mirando las fachadas, buscando qué comercios han cambiado, cuáles han desaparecido. La calle está casi vacía, una pareja camina de la mano, unos adolescentes vestidos de negro aplauden y gritan mientras intercambian unos lentes de inmersión, el organillero al fondo está tocando, pero no puedo oír la música. Estoy caminando hacia él cuando me siento rodeada de gente, asfixiada entre cuerpos y cuerpos. Camino más rápido para tratar de escapar de la sensación residual. Tal vez es un momento del 15 de septiembre o de una marcha o de un concierto guardado en la memoria colectiva.

La sensación disminuye poco a poco. Me detengo en la siguiente esquina y observo las tres botargas que caminan hacia mí. Encabeza la escena un Mario Bros borracho que se tambalea, detrás de él un Mickey Mouse brinda con Cri-Cri. Nunca me han gustado las botargas. A Carlos le daba risa mi aversión. Le expliqué muchas veces que me parecen desagradables porque no puedo evitar pensar que esos peluches gigantes tienen vida propia y que las personas adentro ya se murieron de calor y la piel pachoncita absorbió los cadáveres.

Estoy por llegar a Gante cuando me los encuentro de nuevo. Salen de una bocacalle. El Mario está más borracho, se apoya en Cri-Cri para caminar mientras Mickey los sigue llevando una caguama. Miro sobre mi hombro para buscar a los que vi antes, pero la calle está vacía. ¿Es un error, una repetición, una imagen en *loop* o es real? Uno de los problemas de tener un error de trasferencia en la Ciudad de México es que nunca puedes estar segura. Una amiga me dijo una vez que en otros lugares es más fácil distinguir las alteraciones, pero aquí, rodeados de cruces lógicos y pequeños sinsentidos típicos a causa de recortes en el presupuesto (real o virtual), es difícil estar segura.

Estoy por cruzar la calle cuando los veo de nuevo del otro lado. Me detengo. Carlos está con ellos. Es fácil distinguirlo porque este *glitch* es casi el calco de un recuerdo. Mario toma a Mickey del brazo y comienza a dar vueltas hasta que el ratón cae al suelo, pero esto no interrumpe la conversación de Cri-Cri y Carlos. Un claxonazo y un grito de "¡Quítate de en medio!" me regresan a la realidad. Salto hacia atrás para quitarme del paso. El conductor me grita por la ventana. ¿En serio me detuve a la mitad de la calle sin más? Por esto es que es poco aconsejable salir cuando se tiene un error.

Me apoyo contra la pared, tratando de calmarme, pero no puedo dejar ir el recuerdo. Todavía están allí, Carlos y Cri-Cri, tan cerca. Es una imagen idéntica a otra, de hace muchos años, cuando Carlos, cansado de mi desagrado, me apostó que podía pasar diez minutos hablando con la siguiente botarga que viéramos para comprobarme que todo estaba bien. En República de Venezuela nos encontramos con un Cri-Cri y Carlos se detuvo a hablarle. Seguí de largo incapaz de detener la risa y los observé desde la esquina, roja de vergüenza. No sé qué esperaba comprobarme, mis sentimientos no se modificaron a pesar de que imitó la conversación entera, pero él era así, siempre intentaba que cambiara de opinión. Creía que podía ser menos supersticiosa, más práctica y eso me hacía sentir que tenía potencial, que él creía en mí. Ahora ya no estoy tan segura. Voy a gritar su nombre cuando un viento helado barre la calle trayendo consigo las primeras gotas de lluvia. Las botargas se dispersan como hojas y no puedo ver a Carlos entre ellas. De repente ya no estoy segura de lo que iba a decir.

* * *

Puedo ver la puerta de la heladería cuando se suelta el aguacero. Al caer las primeras gotas, se alza un olor dulzón por toda la calle. En vez de correr a refugiarme, saco la lengua para probar. No es la mejor idea, con la lluvia ácida el sabor sí es dulce, pero rancio, como un dulce demasiado dulce y demasiado viejo. Se me revuelve el estómago.

Al entrar a la heladería, me quito la chamarra y me acomodo el cabello. Está pegajoso y me da más asco. Pero para cuando me siento en la mesa a comer un helado de higo con mezcal, está seco y se siente normal. Podría ser una corrección normal o un nuevo fallo, lo que sea, lo agradezco.

La mesa da a la ventana y puedo ver a la gente huyendo de la lluvia. Carlos me trajo a esta heladería cuando recién abrió. Sus sabores de helado tenían nombres como Beso de Novia, Lágrimas de Tláloc y Pétalos de Jacaranda y eran tantos que me empeñé en pasar cada vez que veníamos al Centro a probar uno distinto. Elijo uno de higo con mezcal que se llama Una Bola Y Nos Vamos porque no lo había probado, porque puedo continuar con algunos de mis rituales, sobre todo si Carlos siempre pensó que eran infantiles. Decía que solo una niña se emocionaría tanto por probar un nuevo sabor de helado y por eso siempre ordenaba lo mismo. Le gustaba el helado de vainilla, pero de vainilla en serio, mexicana de verdad, decía como si no fuera la opción más aburrida. Mírale los puntitos negros, así sabes que es de buena calidad, que sí viene de un *tlilxochitl*, por eso es tan bueno. Decía lo mismo todas las veces antes de pagar, aunque nadie le ponía atención. ¿Por qué me parecía fascinante? ¿Por qué no podía dejar de escucharlo, de seguir sus consejos?

Tal vez era que Carlos sabía lo que quería perfectamente: cómo debía ser su realidad, cuál era el trabajo de sus sueños, cómo le gustaba tomar café, qué sabor de helado quería y por qué. Lo más importante era eso, las razones firmes, que incluso podía verbalizar. Se movía por la vida con tanta seguridad que me la contagiaba, me hacía creer que yo también sabía exactamente qué quería: un telón sensorial, una vida con él, beber café por la mañana. Y tengo que admitir que de todo lo que me presentó, solo me arrepiento de adquirir una necesidad mañanera por café.

Miro hacia el mostrador y allí está Carlos, conjurado por mis recuerdos, echándole un choro sobre la vainilla a la dependienta, pero solo dura un momento, parpadeo y ya no está. Me queda solo el rumor de su voz y a pesar de que ahora me parece pedante, el eco me entristece. ¿Qué estoy haciendo? ¿Por qué creí que podía quitármelo de la cabeza con solo dar un paseo cuando he sido incapaz de dejar de pensar en él? Se fue. No va a volver. Superarlo no debería ser así de difícil, no debería doler tanto.

Era obvio que después de cuatro años y medio de convivencia quedarían residuos de él, pero nunca esperé encontrar tantas maneras de extrañarlo. No necesito errores para que mi mente conjure su voz o sus pisadas por el cuarto. A veces es sábado por la tarde y le hablo en voz alta esperando una respuesta y el departamento se llena de un silencio tan pesado que me ahoga. Estos primeros meses extrañé platicarle mi día al llegar, pasear los domingos por la ciudad, pelear con él por el lavatrastes que nunca arreglaba bien, darme la vuelta por la noche y encontrarlo allí. Sobre todo, extraño la certeza que sentía a su alrededor, creernos cercanos, pensar que lo conocía, que lo entendía.

Hace dos meses, en una tarde lluviosa, tomé uno de los filtros de prueba que se le habían olvidado e instalé el programa de corta duración en mi telón. Me senté en el balcón bajo la lluvia para sentir lo que él me había descrito tantas veces. Busqué los volcanes en el horizonte, pero aunque estuve allí hasta que el filtro se disolvió, no fui capaz de verlos.

* * *

Voy a la mitad del helado cuando deja de llover y salgo para comerlo rumbo a Bellas Artes. Al cruzar la puerta, el sabor del helado cambia. Tomo una cucharada. Un segundo saboreo el higo y al siguiente sabe a sopa de verduras. Caliente y con gusto a pollo. Me detiene en seco. Tomo otra cucharada solo para asegurarme. Sí, caldo de pollo con verduras. Qué asco. Busco un basurero pero no hay ninguno en toda la calle. Finalmente entro en una taquería para deshacerme del vasito.

Al llegar a Eje Central me detengo. Bellas Artes está intacta, nada de luces, nada de colores. No sé cuánto más durará el error. Casi siempre se arreglan en un par de horas. En cualquier momento podría volver a la normalidad y entonces estaré en el Zócalo sin nada más que hacer. Puedo volver a casa y acurrucarme con Dálmata, que ya será de nuevo un gato, y ver películas hasta que sea hora de dormir.

El semáforo cambia y cruzo la calle. Antes de llegar al otro lado un coletazo pasa debajo de mis pies. La calle se remueve, como si una serpiente hubiera pasado, y se queda vibrando. Lanzo un grito y me detengo, pero nadie más parece haberlo sentido. Cuando me tambaleo por la vibración restante una mujer me toma del codo y me detiene. No me pregunta si estoy bien, debe de ver mi error en el estado de mi perfil. Me ayuda a cruzar la calle y me dice que tenga cuidado. Todavía tengo vibraciones en el estómago y mejor me siento en una de las jardineras a mirar el palacio.

La plaza está tranquila, como suele estar después de la lluvia y antes de la comida, cuando los niños no han salido de la escuela. La mayoría de los que están por Bellas Artes a estas horas son turistas. Miro la Alameda. Al final del siglo xix la sociedad mexicana daba paseos bajo esos árboles, para presumir sus vestidos y trajes de domingo. En la última remodelación construyeron nuevas fuentes, cambiaron el piso y pusieron más bancas. Pero eso fue hace tiempo y ahora sin el telón puedo ver las baldosas agrietadas, las personas dormitando y los ambulantes que llenan el parque. La banca donde Carlos y yo tuvimos nuestra última conversación está allí, en el fondo. Me levanto. Sé lo que tengo que hacer. Todo esto solo ha sido una excusa para regresar al lugar donde nos despedimos.

Me detengo al otro lado de la fuente porque en la banca está sentado un hombre joven. A pesar de que lo he visto de lejos durante todo el día, me toma un momento reconocer el cabello negro y chino, los anteojos de pasta, la barba descuidada de varios días, el cuerpo delgado y largo que hasta hace meses conocía de memoria. Lo miro un momento a través de la fuente. Se ve distinto a la noche en que empacó su maleta y se fue. Lleva el cabello largo como cuando volvió de Japón, cuando comenzamos a salir. Está leyendo, unos mechones le tapan los ojos. No hay rastro de las canas que habían comenzado a salirle a principios de año.

Lo observo con cuidado, sin saber si debo hablarle. Levanta la cara y sonríe al verme. Me saluda y guarda el libro en su mochila. Me está esperando. Aunque sé que no es Carlos, solo otro fallo del sistema, otro recuerdo residual, mi corazón late más fuerte. Me acerco lentamente y cuando se levanta para abrazarme doy un paso atrás.

—¿Todo bien? —me pregunta.

Quiero decirle que no, que nada está bien desde hace cuatro meses que se fue sin promesas, sin vuelo de regreso, que todavía me levanto en las mañanas y lo primero que hago muy a mi pesar es buscarlo, que estoy aquí en una peregrinación para borrarlo, que cómo se atreve a aparecerse, a sonreírme, a saludarme, a mirarme.

Esa noche en cuanto cerró la puerta, lo bloqueé, coloqué un filtro para no poder acceder a su perfil o él al mío. No iba a permitirme ni un segundo de espiarlo, de grabarle mensajes larguísimos o comerme la cabeza con cada nueva actualización que hiciera. Hice limpia de todo lo que olvidó, no guardé ni siquiera su suéter del que me había adueñado para leer cuando hacía mucho frío. Se había ido al otro lado del mundo y yo no iba a dejarlo entrar de nuevo.

Respiro hondo. Pero aquí estamos. Este Carlos todavía me quiere, no está cansado de nuestro día a día, no ha elegido irse y ahora me mira dolido porque no quiero abrazarlo.

—Estoy teniendo un día raro —le digo. Es un momento de flaqueza, de querer creerme la ilusión. Solo un momento. Esto es lo que más he extrañado: quedar de vernos, saber que me espera y que al encontrarnos, me mire como si fuera la única persona en todo el parque, en toda la ciudad.

—Igual necesitas un café. ¿Vamos a Regina y hablamos?

—No. Solo quiero sentarme un segundo.

Se sienta de nuevo y me hace un hueco. Levanta el brazo para que me acomode a su lado. Cierro los ojos, aspiro su olor, recuerdo la familiaridad de su presencia, mi cuerpo lo reconoce, pero su brazo se siente pesado sobre mis hombros y su olor penetrante. Solía llenar todo mi mundo y a pesar del hueco que dejó, de alguna forma ya no encaja.

En los últimos meses le he dirigido monólogos tristes, enfadados, desesperados mientras manejo o me baño o como sola, pero ahora que podría decirle lo que quisiera, solo puedo pensar en una cosa. Es una mentira, pero necesito escucharme decírsela en voz alta, para creer que un día será verdad.

—Me has hecho mucha falta, pero estoy bien. Estaré bien. No quiero que vuelvas.

No responde. Su olor desaparece. Observo el lugar donde estaba. En la esquina de mi mirada hay una ventana que parpadea en rojo. Cuando ordeno que se abra, aparece el mensaje: *Perdone las molestias. Realidad al 100%.*

Ahora lo sientes

Rivera había pasado las últimas doce horas hilando experiencias falsas en Ibsen Spa cuando sintió la vibración de un nuevo *videolog* en su nuca. Parpadeó dos veces para abrir el mensaje: "Trabajo urgente" y un número de teléfono. Después de un año, por fin un nuevo trabajo. Estaba a punto de irse a casa, pero ese mensaje lo cambiaba todo. En Ibsen no se sentía pegajosa después de manipular la mente de alguien más, pero tampoco se sentía talentosa, capaz de todo como cuando trabajaba para la agencia. Después de la última vez, cuando había perdido el control, el jefe le había asegurado que no volvería a trabajar con él, que agradeciera que el castigo no había sido peor.

Con la agencia, Rivera había modificado mentes, pasados, intenciones; había cambiado personas permanentemente sin dejar huella. Si el jefe la llamaba ahora, tragándose sus palabras, alguien con mucho dinero debía de estar desesperado y la desesperación creaba los trabajos más interesantes.

Regresó sobre sus pasos al pequeño cuarto que le habían asignado. La luz siempre baja, la falta de aire acondicionado y las paredes acolchonadas de satín rosa ayudaban a los clientes a relajarse, pero Rivera sentía la claustrofobia como si se encontrara dentro de un cuerpo humano. Cerró la puerta y sacó de su bolsillo su *ping* para desconectar el cuarto del exterior. La mayoría de la gente prefería llevar brazaletes de control, pero a Rivera le gustaba el *ping*. Tenía todas las capacidades de un brazalete, pero era fácil de ocultar, destruir o personalizar si era necesario. Dependiendo de sus necesidades, el *ping* actuaba como un control o una pantalla que reflejaba lo que estuviera frente a sus ojos.

Rivera se acuclilló frente al casillero al fondo del cuarto y empujó la base falsa, para descubrir un portafolio y un teléfono celular antiquísimo, de esos que sus abuelos habrían usado a principios del siglo XXI. Nadie con motivos loables contactaba la agencia, sus clientes siempre eran criminales ricos y poderosos, que estaban dispuestos a pagar sumas exorbitantes por servicios ilícitos. Con esos clientes, se esperaba la mayor discreción y exactitud. Rivera dudó un momento. Abrió y cerró el puño izquierdo, sus ojos fijos en su muñeca. Todavía le dolía en días lluviosos y eso en la capital mexicana significaba al menos una vez a la semana. Sin embargo, no podía ignorar la presión de los recuerdos en la punta de los dedos. Extrañaba demasiado el trabajo para pensarlo dos veces.

Marcó el número.

—Pensé que no querías volver a trabajar conmigo —dijo en cuanto la llamada conectó. Ni siquiera trató de ocultar la satisfacción en su voz.

—Rivera, no me hagas rogar —dijo el jefe. La voz aterciopelada le provocó escalofríos—. Tú y yo sabemos que extrañas trabajar con nosotros. El caso es delicado y necesita de tus habilidades. Te vamos a pagar mucho más de lo que has ganado el último año.

Rivera abrió y cerró el puño izquierdo. Todavía podía sentir el fantasma del dolor, pero el jefe tenía razón, en el cuarto rosado de Ibsen no sentía emoción ni reto.

—¿Por qué yo? Tienes otras personas. La última vez que nos vimos, me rompiste el brazo y dijiste que me olvidara de trabajar para tu agencia.

–Te dije que no me hicieras rogar. –Había algo de humor en su voz. Rivera sabía juzgar su tono; era la voz elegante y suave de un hombre que siempre conseguía lo que quería–. Garro está en el extranjero y necesito al mejor. He decidido ignorar tu… desliz.

–¿De cuánto estamos hablando?

Otra vibración, un nuevo *log*. El número de ceros hizo que inhalara con fuerza. El hombre al otro lado de la línea se rio. Con esa cantidad de dinero podría pagar sus deudas, comprar su departamento, tomar menos turnos en Ibsen y solo trabajar con los clientes que le interesaran. Sobre todo, si aceptaba, abriría la posibilidad de trabajar de nuevo para la agencia. Pensó en la mujer de su último trabajo y en la ira que había detenido sus manos. Respiró profundamente. Había sido un caso aislado, no pasaría de nuevo.

–¿Adónde tengo que ir?

–En quince minutos pasarán por ti a la esquina de Aldama y Cádiz. Frente al oxxo.

–¿Y el procedimiento?

–Reconexión cognitiva. No puedes dejar rastro, tiene que pasar escrutinio policial.

–Allí estaré.

–Bien. Solo una cosa, Rivera –la pausa y el tono frío hizo que aguantara la respiración–, confío en que hayas aprendido tu lección y te comportes. Nada de jugar a la justiciera. Eres un agente neutral. Te pago por hacer el trabajo y salir sin dejar rastro.

El jefe nunca había creído que había sido un error y Rivera no quería discutir.

–No volverá a pasar.

–Eso espero. No quiero arrepentirme de esta llamada y tener que visitarte de nuevo.

El jefe colgó. Rivera dejó el teléfono en el casillero y tomó el portafolio que había en el fondo. Sacó unos lentes oscuros, se los puso y presionó los botones a cada lado para asegurarse de que el circuito cerrado no tenía cortos. Algunos aparatos eran muy delicados y un año de desuso podía haberlos estropeado. Se puso sus anteojos en la cabeza y volvió a echarle llave al casillero.

Entró al pequeño baño privado donde los clientes se cambiaban antes de una cita y sacó del portafolio un paquete de interventores. Quedaban tres. Las agujas de una amalgama de itrio y platino no eran baratas o legales. Tendría que gastar una buena parte de su sueldo consiguiendo más cuando se acabaran. Con cuidado perforó la pequeña cavidad detrás de su oreja, cortando automáticamente toda conexión mental a la red. El silencio y el dolor de cabeza hicieron que cerrara los ojos. Se apoyó en el lavamanos, mientras pasaba el mareo y los colores volvían a acomodarse. El zumbido constante de los contenidos de la red, anuncios, mensajes, explicaciones, burbujas de diálogo, era como el zumbido de cualquier otro aparato electrónico, el cerebro se acostumbraba y solo lo recordaba cuando había desaparecido. Respiró un par de veces, parpadeó y se puso los lentes oscuros para evitar las luces que de tan nítidas, eran insoportables. Era un trabajo más, nada había cambiado. Tomó el portafolio y salió.

* * *

El cliente era un hombre alto y grueso que detuvo su ir y venir cuando Rivera entró al despacho. Aun a la una de la mañana, traía puesto un traje gris, una corbata azul y zapatos recién boleados, acicalado como si se hubiera cambiado minutos antes. Ella lo reconoció enseguida. Su cara había aparecido muchas veces en las noticias. Don Francisco Mejía-Botta, empresario y hermano de un diputado cuyo nombre circulaba para las elecciones siguientes de gobernador. No solo era una familia adinerada, sino de abolengo.

—¿Rivera? —preguntó con incredulidad en la voz.

Ella se quitó los anteojos, pero no sonrió a pesar de la satisfacción que le causaba su incredulidad. Por alguna razón la combinación de actividad ilícita y computacional hacía que los clientes esperaran un hombre. Rivera llevaba el cabello largo y vestía con faldas y blusas para que sus clientes no olvidaran que era mujer. Al verla, la mayoría se incomodaba, pero esa era una ventaja. En su trabajo, el mayor reto era adelantarse a las reacciones de los demás.

—Efectivamente. Buenas noches. Me envió la agencia. Supongo que pidió a la mejor para un trabajo rápido y limpio.

El hombre la observó con cuidado, rostro levantado más de lo necesario, como si estuviera oliendo algo podrido, incapaz de ocultar el desagrado que le provocaba su presencia. Mejor para ella: clientes transparentes, trabajos fáciles.

—Es un caso delicado. Tendrá que firmar un acuerdo de silencio y desconexión. Nada de lo que vea o averigüe puede salir de esta habitación.

—Estoy al tanto de los términos. —No le daría la satisfacción de incomodarla. Este era un juego que ella conocía mejor que él—. La agencia debió firmar por mí electrónicamente, pero si su abogado sugirió un registro en papel puedo firmar ahora para comenzar lo antes posible. Entiendo que no tenemos mucho tiempo.

No había nada de particular en el contrato de Mejía-Botta. Rivera había firmado cientos como ese antes. Aun así, se tomó su tiempo, no solo para asegurarse de que no había trampas, sino también para extender el silencio.

Había estado en muchas casas adineradas cuando trabajaba para la agencia, pero esta era una de las más grandes y viejas, probablemente había sido una herencia. Sin embargo, su seguridad era un desastre: alambre de púas alrededor del jardín, cámaras como luciérnagas que revoloteaban frente a puertas y ventanas, una barrera de seguridad digital en el umbral. Predecible, pero estúpido. Algunas personas creían que con vigilancia afuera de la casa estarían seguros, pero ese tipo de barreras no hacían nada si el peligro ya estaba dentro.

Rivera solo había tenido que echar un vistazo a los pasillos de la casa, para notar enseguida los cambios paulatinos que había sufrido la estructura para adaptarse a la creciente tecnología. Los pequeños sensores en las paredes, que debían mantener las conexiones a pesar de las paredes gruesas, parpadeaban con luz roja dejando ver que las conexiones de la casa estaban apagadas. Tener la tecnología al mínimo era un poco riesgoso. Si la policía revisaba los *logs* generales, notarían el vacío de actividad y eso levantaría sospechas. Rivera tendría que arreglarlo antes de irse.

—¿Hay algún problema? —preguntó el licenciado.

—No. Todo parece estar en orden —dijo Rivera antes de firmar—. ¿Cuál es la situación?

El licenciado tomó el contrato y lo guardó en el cajón del escritorio. Rivera distinguió el pequeño clic del seguro. Un candado de combinación. Irresponsable, esos seguros eran fáciles de romper. Mejía-Botta se sentó, pero no hizo ademán de ofrecerle a Rivera un asiento y ella no pidió sentarse. Podía hacer esto de pie.

—Pensé que la agencia la pondría al tanto.

El licenciado tamborileó en la mesa como si estuviera exasperado, pero Rivera supuso que en realidad no quería entrar en detalles y no sabía qué hacer con sus manos.

Ella permaneció en silencio. El estudio era un cuarto dominado por tres estanterías y un escritorio de madera oscura. A juzgar por el estado de los libros, muchos de ellos probablemente no habían sido leídos nunca. Pura ostentación. Sin embargo, el holograma recibidor que la había guiado hasta allí era una imagen vieja, que había perdido nitidez en los colores, probablemente con diez años de uso. Opulencia sin ningún cuidado.

El licenciado aflojó el nudo de su corbata antes de hacer una señal y la puerta volvió a abrirse. Apareció un muchacho joven, Rivera calculó que sería mayor de edad, pero probablemente no estaba todavía en la universidad. A pesar del cabello húmedo, todavía olía a una desalcoholización exprés. Rivera conocía bien el olor dulzón de los derivados de alcohol, muchos de sus clientes en Ibsen olían así. Esa había sido una buena decisión. No estaba segura si tendría que maquillar la borrachera, pero al menos los efectos físicos ya no la interrumpirían.

El chico estaba inquieto, moviendo los ojos rojos y desenfocados por todo el cuarto con tal de no posarlos en ella. Pupilas dilatadas, cambios de postura continuos, respiración acelerada. Probablemente había sufrido un ataque de ansiedad hace poco, pero ni eso era capaz de ocultar su arrogancia, emanaba de él desde su postura desenfadada, su falta de zapatos, los *pants* grises con el escudo de un colegio privado y una sudadera tan usada que estaba rota de las mangas.

—Este es mi hijo Gabriel. Tuvo una conmoción hace un par de horas. Existe la posibilidad de que la policía venga a interrogarlo por la mañana.

—¿Qué sucedió? —Rivera le preguntó a Gabriel, pero el chico rehuyó su mirada y fue su padre quien contestó.

—Una tontería con una niña en su escuela. Una chica de buena familia. Algo pasó entre ellos. Una estupidez con unas fotografías y al parecer la mocosa se salió de casa.

—No eran unas fotografías, eran unos videos —interrumpió Gabriel. No podía estarse quieto. Movía el pie, cambiaba de postura, abría y cerraba los puños como si quisiera acceder a algo en la red. Tenía todos los movimientos nerviosos de alguien que nunca había estado desconectado por mucho tiempo. La inhabilidad para comportarse durante una desconexión era cada vez más común entre los jóvenes. Rivera tendría que encargarse de eso también porque habría dejado un rastro en el *log* central y a pesar de que no era ilegal, podía atraer la atención de las autoridades.

—Videos o fotografías, no importa —dijo ella—. Me interesa saber tu intencionalidad. Entender si eres inocente.

—Me da igual si Gabriel es inocente o no —interrumpió el licenciado. Se quitó la corbata y se desabotonó el cuello de la camisa, claramente nervioso—. Para eso están ustedes. Quiero que si esto llega a avanzar y viene la policía, Gabriel sea la víctima.

Limpieza para un niñato rico. ¿En serio le habían encargado algo tan trivial? A juzgar por el estado de Gabriel, era fácil adivinar la historia. Un desencanto amoroso seguido de humillación virtual. Hacía varias décadas que era un crimen grave. Sin embargo, desde que se podían analizar los recuerdos de una persona, se juzgaba con base en la intencionalidad. Si el procurador podría demostrar que la difamación había sido premeditada y, además, causaba que la chica se lastimara, Gabriel recibiría una sentencia mayor. Hasta cuatro años de prisión si ya era mayor de edad. Pero, si todo había sido un accidente, entonces solo tendría que hacer unos meses de servicio comunitario. Un niño bien como Gabriel no aguantaría cuatro años en una prisión mexicana. Rivera se hizo una cola de caballo y tomó su portafolio. Gabriel se sentiría más tranquilo si ella se concentraba en algo más.

—Cuéntame que pasó hoy, Gabriel. ¿Puedo llamarte Gabriel?

Él asintió. Enlazó y desenlazó sus dedos antes de mirar a su padre. ¿Miedo a la autoridad o a contar los hechos? Un poco de ambos probablemente.

—Carmen me llamó a las nueve. Yo estaba en casa de un amigo, pasándola nada más. Le dije que estaba ocupado, pero me siguió llamando. Me dejó un *videolog*.

—¿Lo tienes todavía? —preguntó Rivera aunque estaba segura de que probablemente habría eliminado la evidencia. El miedo hacía que la gente hiciera esas estupideces. Abrió el portafolio y comenzó a remover su contenido, como si buscara algo en particular.

—No. Papá me dijo que lo borrara después de mostrárselo. Pero Carmen estaba llorando. Me insultaba, me decía que había visto el video, que le arruiné la vida.

Sacó un par de guantes, un sobre manila y una botella de neurogel, que estaba casi vacía. Tendría que comprar otra pronto.

—¿Y después qué pasó? —Gabriel miró al suelo y no contestó. Bueno, podían cambiar de tema—. ¿Qué pasó con las fotos?

—Era un video —dijo Gabriel—. Alguien lo sacó de mis archivos en la escuela o algo. Supongo que todos en el colegio lo vieron. No sé. Pero no es para tanto. Carmen siempre es una dramática.

De nuevo silencio. Eso era mentira. Probablemente él había mandado el video a propósito. El trabajo no era solo un cambio de hechos, sino de intencionalidad. Eso convertía el asunto en un encargo mucho más interesante.

—No fue un accidente, ¿verdad? —dijo Rivera—. Si los policías revisaran tus recuerdos y analizaran tu intencionalidad verían que lo hiciste a propósito.

Gabriel alejó la mirada.

—Él no es culpable de nada interrumpió el licenciado—. Si la niña le mandó esas fotografías, debía saber las consecuencias.

—Era un video —dijo Gabriel suavemente.

—Es la misma mierda —dijo el licenciado con un golpe en el escritorio—. La culpa es de esa mocosa.

—Gabriel ya es culpable si lo hizo con intención. Y si ella se lastima o hace alguna tontería a causa de esto, lo juzgaran como cómplice —dijo Rivera—. ¿Qué edad tiene ella? ¿Es mayor de edad?

—Sí. Cumplió dieciocho hace un mes.

Rivera asintió. Bueno, eso quitaba el peso de los cargos por pornografía infantil. Cambiar el contenido del video habría sido más complicado. Solo tenía que cambiar las intenciones de Gabriel, sus emociones. Limpieza interna. Un trabajo delicado, sutil. Justo el tipo que más disfrutaba. Observó a Gabriel un momento, quien de nuevo cambió de posición mientras ella consideraba la situación.

En su último trabajo con la agencia, había tenido que hacer algo parecido, entrar a la mente de una mujer y modificar sus sentimientos para que en lugar de amar a su esposo, lo odiara. Esa vez había cometido un error, pero esta vez nada saldría mal. Podía modificar la intencionalidad de muchas maneras, pero la más fácil sería introducir culpa.

—Esto es lo que voy a hacer. Voy a conectarme a tus recuerdos y haré que el asunto parezca un accidente. Antes de eso vas a enviarle un mensaje, solo de voz, tienes que sonar arrepentido. Te voy a decir qué tienes que decir, no te preocupes. ¿Puedes hacerlo?

Gabriel asintió.

—Necesito que me escuches con atención. ¿Entiendes que tus sentimientos van a cambiar? Todos los cambios que voy a hacer son irreversibles y nadie podrá deshacer mi trabajo. —Rivera abrió el sobre manila y sacó un contrato—. Tengo aquí los papeles…

—Él no va a firmar nada —dijo el padre.

—Es mayor de edad. Necesito que acepte las condiciones. Después de que firme podemos comenzar. Tardaré como dos horas. Pero sin firma, no hay trabajo y entonces puede hablar con la policía mañana.

Mejía-Botta tomó los papeles de la mano de Rivera. Diez minutos después, Gabriel estaba acostado en el sillón con los ojos cerrados, en un sueño inducido. Con eso y la desintoxicación no quedaría rastro de la borrachera. Rivera había movido una de las mesitas frente a él y estaba acomodando el contenido del portafolio. Tomó el neurogel y untó un poco en cada uno de los electrodos antes de colocarlos en cada una de las sienes, en la nuca y en la frente de Gabriel. Tomó los cables, cada uno de un color distinto, y los conectó a una malla muy fina de grafeno, que luego acomodó sobre el cabello del muchacho. Cuando la encendió, un zumbido llenó el estudio.

Rivera comprobó todos los niveles en la pantalla de sus lentes oscuros. Luego se los quitó para dar las últimas instrucciones al licenciado.

–Necesito que salga del cuarto y cierre la puerta. Regrese en dos horas. Encienda las conexiones en el resto de la casa, pero aísle el estudio. Vea que nadie me interrumpa, es un trabajo delicado.

Mejía-Botta ni siquiera rechistó. El olor del neurogel, ácido y penetrante, más el cuadro de su hijo acostado en el sillón con una malla luminosa lo habían perturbado. Cuando salió del cuarto, Rivera sacó su *ping* y lo colocó sobre la mesa entre ellos. Con un movimiento desplegó un panel táctil sobre la mesa. Se puso los guantes, el neurogel estaba frío y se sentía como si tuviera las manos metidas en una cubeta de agua con hielo. Luego se acomodó los lentes oscuros, respiró profundamente y extendió los brazos. Con cuidado, separó los recuerdos de ese día, después los reorganizó por hora, observando cada uno hasta encontrar aquel donde Gabriel estaba en casa de su amigo. Seleccionó el recuerdo, respiró profundamente y se sumergió.

* * *

El *penthouse* del Rana en Polanco es un lugar reconfortante, Gabriel se siente bien en él. Ha pasado aquí muchos viernes. Su lugar favorito es el sillón principal que da hacia las ventanas, pero en ese momento la luz del atardecer le daría directamente en la cara, así que está en la cocina con el resto de los invitados que están sirviendo cubas. Los hielos del fregadero, las cocas sobre la barra junto a las patonas, una que sobró de la semana pasada, la otra nueva. Es un panorama familiar.

El Rana está hablando con sus padres en su cuarto. Gabriel está jugando con la pantalla desplegable buscando música mientras sus amigos preparan las bebidas. La primera llamada de Carmen lo interrumpe. ¿Qué puede querer? Lleva días sin contestar ninguno de sus mensajes, desde el miércoles que, después de una pelea detrás de los salones de química, cortó con él. Qué ganas de dejarla marcando, se lo merece, como se merecía lo de esta mañana–No. Qué ganas de hablar con ella, pero no sabe qué decirle. Desvía la llamada porque está herido y nervioso. Vacila. Con un movimiento cierra la burbuja. Sale de la cocina.

Avance.

Una hora después, lleva tres cubas–No, lleva una, pero no ha logrado terminársela. Carmen ha llamado dos veces más. Está molesta–No. Separa la duda, átala alrededor del pensamiento: ¿está molesta? ¿Habrá recibido el mensaje de perdón que le envió? (Nota: enviar un mensaje retroactivo). ¿Debería escribirle otro? Avance. Cuarta cuba–No. Entreteje los recuerdos, sí, así, asegúralos y el resultado es que la bebida es la misma de hace rato, la patona se la acabaron los otros. Gabriel se ríe con sus amigos, pero no deja de observar las llamadas perdidas, no es satisfacción lo que siente, es preocupación cuando dice "Carmen no deja de marcarme". Ellos se ríen y Gabriel sonríe –cuidado con los remates– aunque se siente peor.

Cuando los amigos dicen que solo necesita otra para sacársela de la cabeza, Gabriel pretende considerarlo, en realidad su preocupación va en aumento con cada llamada perdida. Es fácil tomar los hilos sueltos de un sentimiento y llevarlos a la superficie, asegurarlos donde haga falta. Está sentado en su lugar favorito del sillón, por los ventanales entra la luz de los otros edificios cercanos, la CDMX desde lo alto es una alfombra de luces doradas. Entra el tercer *log*, este con un video. El *log*, las luces, preocupación, miedo, todo mezclado. Se levanta al baño y lo mira en soledad. El rostro de Carmen: cabello revuelto, maquillaje corrido, está llorando. Le dice que le conteste, que la directora acaba de llamar a su casa, le dice que es un cobarde, un hijo de puta. ¿Cómo chingados le hizo eso? Va a ir a buscarlo ahorita mismo y se va a enterar. Carmen va conduciendo erráticamente, sin prestar atención realmente, por una calle oscura, demasiado oscura. De repente, suelta una maldición, la grabación se desenfoca, Gabriel la escucha gritar antes de que el video se corte. ¿Está herida? Trata de llamarla. ¿Por qué no contesta?

Gabriel se apoya en el lavamanos, al borde de un ataque de pánico de pura preocupación. Bien, esto sí es real. Ella no debería andar sola por las calles. Mira los otros *logs* que le envió, pero son solo mensajes de voz. Suena más ansiosa, le grita, le dice que es un cabrón de mierda, que no puede creer lo que hizo, que lo mata seguro o se mata o algo. Gabriel le marca a su padre. El ataque de pánico es real, pero con devanar los filamentos con cuidado, el miedo es por ella, no por sí mismo. Un tirón. El subconsciente de Gabriel se opone al cambio y las intenciones se desmadejan, pero con algunos remates, se doblega y los sentimientos caen en su sitio.

Rebobina. Esa mañana en la escuela. Momentos antes del accidente. Gabriel está sentado en las gradas afuera del gimnasio mirando un partido de futbol entre sus compañeros. El

Rana está fumando junto a él, hablando de Carmen, de cómo la vio después de Matemáticas hablando con Jorge Puga afuera de su salón. Gabriel todavía está molesto por la pelea y porque ella rompió con él. ¿Celos? No, solo necesita reformular el sentimiento, inyectarle pena. Todo es dolor. A Gabriel le duele la ruptura porque extraña a Carmen, ¿si no, de dónde vienen todos esos recuerdos? Los hilos de la memoria tienen que manipularse con cuidado para imitar los patrones del pensamiento: sentados justo en esas mismas gradas, Carmen y Gabriel hablan sobre la universidad, sobre lo que los padres de cada uno esperan de ellos y él sintió que ella lo entendía; estudian juntos para los exámenes de final de curso en casa y, porque solo la cocinera estaba, pasan de hablar a besarse a abandonar toda pretensión de estudio; eso lo lleva a pensar en el festival del Día de Muertos, cuando se escabulleron a uno de los salones del tercer piso. Y pensar en el Día de Muertos, hablar de Carmen, eso es lo que hace que le diga al Rana: "Te quiero mostrar algo. Mira". Despliega la pantalla desde su brazalete y le enseña el video, algunos segundos de movimiento, apenas unos cuadros de Carmen desnuda, riendo, posando para él. Se lo había mandado algunas semanas atrás. No hay malicia, es pura confusión. Y dolor. Es difícil encontrar los sentimientos, pero allí están, debajo de todo. De nuevo un tirón. Cuidado, todo el tejido puede desenmadejarse. Concéntrate en el dolor: ¿por qué le iba a enviar ese video si no quería estar con él? ¿Por qué le dijo que lo quería? Está enfadado—No, confundido. Ese es un sentimiento fácil de encontrar en un muchacho de diecinueve años. Fácil de manipular. Solo hay que tomar las hebras de la ira y enterrarlas, haciendo del enfado algo pequeñito, escondido entre el dolor y la confusión que permean el simple movimiento de pasarle la pantalla al Rana, de dejarlo ver los videos. No lo detiene cuando los descarga. No. Rebobina. ¿Dónde está el arrepentimiento? ¿De dónde sacarlo?

De nuevo el momento cuando Gabriel le muestra el video. Y otro tirón. Gabriel quiere que el Rana lo descargue porque sabe que lo compartirá. Quiere herirla. Se lo merece–¡No! Rebobina. Niño tonto, ¿ella no le importa? Tira de los recuerdos, tómalos con fuerza, redirígelos. El Rana comienza a descargar el video, Gabriel reacciona muy lento, la queja se queda estancada en su garganta, no sale. Es un accidente. No está pensado y cualquiera que mire estos recuerdos sabrá que no quería herirla, ni humillarla. ¿Dónde está la culpa? De nuevo, un tirón–No. Tira de la confusión, del dolor, de la traición, entierra toda satisfacción. Él no quería lastimarla, pero le dolía tanto y–Sí, allí, arrepentimiento, un poco, en lo profundo, unas trazas, pero se pueden usar. Agárralas, desenróllalas. Apenas son suficientes para cubrir los siguientes segundos. No importa, si él no lo siente, los sentimientos pueden venir de otro lugar. Zafa la ira, empuja a Gabriel fuera, introduce arrepentimiento. Con eso se pueden sacar otros sentimientos. La echa de menos, ese es el verdadero núcleo. No es enfado cuando se ríe y dice "Ya se arrepentirá de dejarme", lo dice porque la va a extrañar, porque esas cosas se dicen cuando algo te duele, ¿no? Tantos sentimientos encontrados, es comprensible que haya un momento de confusión. Entonces se comete el error, el accidente. El Rana envía el video a un compañero. Pero eso no importa, Gabriel es quien importa. Siente ¿satisfacción? No, no puede creer lo que acaba de hacer. Trata de detenerlo. Siente pánico, como el que sintió horas más tarde. Preocupación. (Nota: modificar el historial para que parezca que trató de detener el mensaje).

El video de Carmen recorre la escuela. Avance.

Gabriel en su cuarto preparándose para salir a casa del Rana. Una llamada. Está solo, es fácil manipular esta parte. Solo anuda las intenciones a ambos lados del recuerdo, cierra el círculo. Remordimiento en un lado, pánico en el otro y, en medio, vergüenza, miedo y arrepentimiento. Sí, así sí, así lo permean todo.

Así se siente la culpa. Avance.

Y más tarde, en el baño de casa del Rana, cuando esté preocupado, cuando no sepa dónde está Carmen, la llamará y ella no contestará. Horas de espera. Quería a Carmen, pero cometió un error y cuantas más horas pasen, menos tendrá palabras, solo vergüenza, tanta que ya en el *penthouse* no contesta esa llamada ni la siguiente, ni la siguiente. Las ignora porque no sabe cómo pedir perdón. No es que no quiera, es que no sabe cómo, porque la gente como él nunca aprende a decir que lo siente. Avance, rápido, a cuando llama a su padre en pánico. No siente ya que todo está bien, que va a salir de esta, a pesar de que toda su vida siempre ha sentido que va a salir de todo. Esta vez se siente débil porque no puede ayudarla, porque es culpa suya. Es una emoción nueva, esta culpa y el miedo y la impotencia, que se convierten en un solo sentimiento ensordecedor y confuso que oculta todos los demás. Lo tiene dentro y ahora tendrá que vivir con él.

* * *

Rivera se quitó los guantes con cuidado, porque el gel se endureció mientras trabajaba. Necesitaba un momento para respirar, para restablecerse dentro de sí misma, pero todavía tenía mucho por hacer. Tenía media hora para limpiar todo el equipo con cuidado, revisar cada nota que había hecho, entrar a la red de la casa y borrar todo rastro de su visita. La historia sería que el padre de Gabriel le había dado un sedante para calmarlo. Con cuidado guardó en el portafolio los electrones, la red de grafeno, los guantes, sus lentes y el neurogel.

Cerró el portafolio y respiró profundamente. Necesitaba continuar con pequeñas tareas, distraer la mente y controlar el enfado antes de que llegara el contragolpe. Todavía tenía mucho que hacer. Le quitó el brazalete a Gabriel y lo colgó sobre su *ping*. Como había pensado, no tuvo problemas para acceder a la red particular. Desde la oficina, tenía la casa a su disposición.

Entrar al brazalete de Gabriel fue más difícil, pero nada que no pudiera hacer en unos minutos. Modificó los *logs*, mandó las llamadas perdidas y finalmente dejó rastro del mensaje de voz que no había llegado al celular de Carmen. Un error en la red, poco común, pero no improbable. Revisó varias veces el trabajo para no pensar en cómo esa familia iba a salirse con la suya al humillar a esa pobre chica, que no podría borrar nunca los efectos de ese video. Gabriel aprendería que no había consecuencias y se transformaría, de un niñato consentido a un hombre que creía que lo merecía todo.

Aun así, al verlo allí acostado en el sillón, sintió una punzada de simpatía. Era un efecto secundario natural. Había tenido que usar su propio remordimiento cuando Gabriel se resistía a los cambios y eso había creado una conexión entre ellos. En unas horas sufriría el contragolpe de su propio subconsciente al lidiar con emociones que no eran suyas.

Había sabido qué hacer porque no era la primera vez que le sucedía. En su último trabajo con la agencia la habían contratado para modificar los sentimientos de una mujer, hacerla pensar que odiaba a un hombre del que en realidad estaba enamorada. Rivera había pensado al principio que ella había accedido, que se trataba de una ruptura, pero pronto el subconsciente de la mujer comenzó a resistirse y Rivera se dio cuenta de que el hombre era el esposo de esa mujer. El matrimonio le debía mucho dinero al cliente de Rivera, un traficante con mucho poder.

Hasta ese momento, Rivera había realizado cientos de trabajos sin problemas: había borrado recuerdos, conseguido información clasificada, aterrorizado con pesadillas a los enemigos de sus clientes, obtenido contraseñas de bancos, pero nunca había tenido que luchar contra una conciencia que se resistiera. En ese caso, no había podido completar el trabajo y había dejado un rastro que se había desmadejado. La mujer había acudido a la policía y ellos habían aprehendido al cliente.

Rivera pensó que había tenido suerte hasta la visita del jefe. Él creía que ella había dejado un rastro para la policía a propósito. Le rompió la muñeca y le dijo que no volvería a trabajar con la agencia porque no podía emplear a alguien que de repente tenía algún escrúpulo. No le había creído cuando Rivera trató de explicarle que no había podido ejercer su voluntad.

Rivera cerró los ojos. No quería pensar más en eso. Esta vez había sido más fuerte que Gabriel, no tenía que seguir arrepintiéndose de lo que había pasado la última vez. Tenían una conexión ahora, pero no se permitiría sentir compasión por él. Era un niñato de mierda, que no recibiría el castigo que merecía.

Se levantó y tomó el portafolio. Ya no podía seguir en ese cuarto. Salió y reconoció el sonido de un cerrojo automático en cuanto la puerta se cerró detrás de ella. Afuera encontró al chofer. Por supuesto, Mejía-Botta no iba a tomarse la molestia de reaparecer.

—El licenciado me dijo que la llevara a donde quisiera.

Podía sentir el dolor de cabeza incipiente. Un rato más, pronto estaría en casa, se conectaría a la red, podría distraer la mente y minimizar los efectos secundarios.

—Donde me recogió está bien —dijo Rivera.

Al llegar al Periférico, se quitó el interventor. Cerró los ojos y abrió la ventana para alejar el mareo. Una vibración en la nuca le avisó que había recibido el pago por un trabajo bien hecho.

* * *

En los siguientes días el caso Mejía-Botta cimbró las redes. La historia: una niña bien de colegio privado, la hija de los García Colín, había tenido un accidente después de sufrir *bullying* y difamación virtual a manos de su exnovio, Gabriel Mejía-Botta, después de que ella hubiera terminado la relación. Al menos así comenzaron las acusaciones. Rivera siguió los hechos entre la fiebre y el mareo del contragolpe. Había aprendido trabajando para la agencia que lo mejor para lidiar con el rebote mental era ver videos de gatos en un circuito constante. En especial le gustaba uno en el que dos gatitos con manchas jugaban con una bola de estambre, desembrollándola hasta que sus patitas quedaban anudadas en el hilo y maullaban para que los ayudaran. Proyectaba los videos en el techo de su cuarto y miraba las imágenes hasta que era lo único en lo que podía pensar.

Dos semanas después, Gabriel fue declarado inocente. Era un joven arrepentido y sus recuerdos mostraban una clara culpa. Su amigo, el hijo de una querida actriz de telenovela, fue sentenciado a cincuenta horas de trabajo comunitario por haber enviado el video. Al final era un caso terrible que apuntaba a un malentendido seguido de una reacción en cadena desafortunada.

El dolor de cabeza de Rivera tardó más tiempo en desaparecer que la opinión pública en voltearse y los García Colín tuvieron que pedirle a Gabriel una disculpa pública. Carmen, entre sus padres, se veía marchitada, tan distinta a la muchacha enfadada del *log*, y solo miró a la cámara al final. Rivera creyó percibir su rabia. Esa disculpa era otra humillación.

Dos meses después del incidente de Mejía-Botta, Rivera todavía no había recibido otro trabajo de la agencia y para luchar con el insomnio regresó a Ibsen Spa. No necesitaba el trabajo, con el último pago había comprado su departamento y tenía ahorros, pero quería una distracción mientras la agencia volvía a llamar.

Un jueves por la noche, Rivera se encontraba en su sala alistándose para su primer cliente cuando la recepcionista la interrumpió. Alguien la buscaba. Estaba en la sala de espera. Rivera no dejó que su sorpresa se notara al encontrarse con Mejía-Botta. La recepcionista los dejó solos.

—No pensé volver a verlo —dijo a modo de saludo sin ofrecerle su mano. ¿Cómo la había encontrado?

Mejía-Botta tenía ojeras y se veía alterado, no como el hombre en control del mundo que había sido unos meses antes. El traje a la medida estaba arrugado haciéndolo parecer desaliñado y no había rastro de una corbata.

—Me tomó mucho dinero encontrarte. Pero al final todo tiene un precio, incluso tu jefe.

Rivera no reaccionó, aunque la noticia fue como un balde de agua. ¿La agencia había dado su información? ¿La había vendido? Apretó los dientes. ¿A qué estaban jugando? ¿Pensaban que había cometido un error?

—Pues aquí estamos. ¿En qué puedo servirle?

El licenciado caminó de un extremo al otro del cuarto, hablando a trompicones:

—Es Gabriel. Quiero que lo regrese a como estaba. No sé qué hizo, pero los expertos que hemos visto dicen que es imposible diferenciar los cambios. Gabriel realmente cree que mandó esas fotos por accidente.

—Por supuesto que lo cree. De otra forma la policía habría sospechado.

—Eso dijo la agencia, que era el mejor trabajo que habían visto en años. Pero Gabriel no es el mismo desde hace meses. Ha pasado las últimas semanas en un sanatorio. ¡Trató de suicidarse! Estoy dispuesto a pagar. ¡El doble!

—No hay nada que pueda hacer —dijo Rivera con neutralidad, que no se notara cómo la noticia la había alterado. No había sido su intención enloquecer a Gabriel, solo estaba tratando de hacer su trabajo. Empujó el arrepentimiento a un lado, tenía que concentrarse—. Se lo advertí. Si deshago el proceso, lo más probable es que le fría la cabeza.

—¡Pero todo es mentira!

—No para Gabriel. Y le repito, no hay nada que hacer. Tiene que vivir con la culpa. Ningún movimiento mental es gratis.

Se sintió sucia. Gabriel había pagado un precio por sus acciones después de todo, pero ¿quién era ella para decidir quién tenía que pagar o cómo? ¿Si alguien juzgara su intencionalidad, qué vería? Gabriel era solo un niño y ella lo había enloquecido como un reto, para demostrar que podía. Su voluntad en contra de la de Gabriel no era una pelea justa.

Mejía-Botta no podía entender lo que sentían ellos, no sabía qué era arrepentirse de sus acciones o no salirse con la suya. No aceptaría que nadie podría deshacer lo que le había hecho a Gabriel. Él tendría que aprender a vivir con eso. Rivera sintió la vibración de un nuevo *log* en la nuca, pero no lo revisó. Metió las manos a los bolsillos de su bata y tomó su *ping*. Pero el jefe, ¿cómo se había atrevido a venderla después de todo el trabajo sucio que ella había hecho? Había destruido la mente de un niño por él.

—Tu jefe me advirtió que te negarías. Te estoy dando la oportunidad de arreglar tu error. ¡Y pagarte! ¿Cómo puedes ser tan malagradecida?

—Yo no cometí ningún error. Era un trabajo y lo hice y me pagaron y hasta ahí nuestra transacción, pero… —Rivera hizo una pausa deliberada, enviando un mensaje a seguridad— por un módico precio estoy dispuesta a ayudarle a olvidar lo que le hizo a su hijo. Para que viva más en paz.

El licenciado soltó un grito enfurecido y se abalanzó sobre

ella. Rivera esperaba la reacción, así que lo esquivó, colocando uno de los sillones entre ellos. Los guardias de Ibsen llegaron antes de que Mejía-Botta pudiera alcanzarla.

Rivera regresó a su estudio. Se sentó en el sillón para los clientes, que se hundió bajo su peso envolviéndola como un abrazo asfixiante. Le hubiera gustado que alguien cambiara sus recuerdos. ¿Cuánto costaría olvidar? Parpadeó para abrir el *log* que había recibido. "Nuevo trabajo" y un número telefónico. Era el mensaje de la agencia. Podía cancelar su cita en Ibsen y llamar al jefe.

Pero la agencia la había traicionado. Pensó en su último trabajo. No sabía el nombre de esa mujer ni qué había sido de ella, pero si su mente no se hubiera rebelado, Rivera le habría hecho lo mismo que a Gabriel, sin dudarlo, porque podía, porque era su trabajo. Pero ahora no sería capaz, no de nuevo. ¿Qué la separaba de sus clientes entonces? ¿Valía la pena usar su talento así, sin importar a quién destruyera?

Una campanada sonó a través de las paredes y luego la voz de la recepcionista:

–Tu cita de las nueve está aquí.

¿Habría otro camino, otra forma de usar sus talentos? ¿Podía encontrar otra opción? Rivera miró de nuevo el *log* y sin pensarlo más, presionó el *ping* para borrar el mensaje. Ese era un primer paso.

–Hazla pasar.

CALCULANDO, RECALCULANDO

LifeCoaching encendido. Elige el tipo de análisis. Análisis interpersonal, futuro comprehensivo. Iniciando. Variable dependiente: tiempo. Calculando parámetros principales. Elección predeterminada de voz: Gary 2.0. Comandos personalizados: presiona una vez en caso afirmativo y dos en caso negativo. Aviso: El programa accederá a tu posición espacio-temporal actual, a tus parámetros biológicos y a los antecedentes de comportamiento pertinentes. La información se utilizará para el análisis, pero no se compartirá a través de ninguna red. Le recordamos que dicho análisis solo es una proyección a futuro; LifeCoaching no se hace responsable por los resultados ni las acciones subsecuentes. Presione CONTINUAR *si está de acuerdo.*

Parámetros actuales. Baño. Quinto piso, departamento B. Soria 42, esquina con Bolívar, Benito Juárez. Ciudad de México, 03400. 10:30 p. m. Hogar de Álex Carreón. Alimentos en las últimas tres horas: una copa de vino en casa, dos copas más en el restaurante, una entrada de falafel compartida, un plato de cuscús y pastel de chocolate, especialidad del chef (5 de 5 estrellas OutToEat).

Proyección. Existe un 80% de probabilidad de que estés en el baño en este momento porque, teniendo en cuenta tus parámetros de riesgo y considerando tu comportamiento en las últimas cuatro citas, te arrepientes de haber aceptado la invitación a su departamento. ¿Es correcto?

Conclusión. Debido a los altos niveles de norepinefrina y adrenalina deberías salir del baño, no aceptar la copa de vino e irte a casa. Excusas posibles. Tu compañera de departamento acaba de llamarte; tu fecha de entrega para el código en el que has trabajado toda la semana fue cambiada para mañana temprano; hay una emergencia en el trabajo. Todas estas opciones tienen un factor de viabilidad del 0.87. Existen 1:3 posibilidades de que él te crea y te diga que te llamará la próxima semana. Como no te quedaste, y a juzgar por su tendencia cita-llamada global, existe solo un 15% de probabilidad de que te llame de nuevo.

Recalculando.

Sí, solo 15%. Si te llama, tú no contestarás (97%). El resultado de esta acción será que él no insistirá después del primer mensaje sin respuesta (94%). Hay un 70% de probabilidad de que en dos semanas te arrepientas de no quedarte; no lo buscarás porque tu orgullo influye en tus reacciones en un 65% de los casos. En seis meses, cuando vaya a la oficina para dar mantenimiento a su instalación, te esconderás en el baño (67%) y te escabullirás de la oficina, fingiendo dolor de estómago (65%). Existe solo un 20% de probabilidad de que vuelvan a verse.

¿Es este escenario satisfactorio?

Se detectó una respuesta negativa. Recalculando. Se requiere un análisis de antecedentes para continuar. ¿Acepta?

Revisando datos biológicos e interacciones de red.

Tu señal y la de Álex Carreón se cruzaron por primera vez de forma personal y no incidental hace mes y medio. El dueño de la Fundación Sm4rt le comisionó una pieza para la puerta de entrada. Tu historial de búsqueda muestra que revisaste su perfil personal diez veces en las primeras veinticuatro horas después de conocerlo.

Desde entonces, han intercambiado ciento cincuenta mensajes personales. El programa de análisis detectó la presencia de cuatro chistes propios, dos de los cuales están relacionados con la diferencia de sus respectivos trabajos, uno contiene implicaciones sexuales obvias y el último es sobre *El señor de los anillos* (la película, no el libro) la cual le recomendaste, ya que no podías creer que nunca la hubiera visto. Se detectó la presencia de un apodo cariñoso y recurrente. El mote ñoñis hace alusión a tu profesión como programadora y muestra intimidad y afecto. Ese apodo aumenta tus niveles de dopamina en una reacción positiva.

Álex entregó la instalación el lunes pasado. Se detectó una reacción poco favorable en ti: niveles hormonales bajos, los cuales reflejaban tristeza y decepción, debido a la falta de una despedida adecuada y la ausencia de mensajes durante ese día. Sin embargo, el martes te envió una invitación para cenar comida marroquí: "Restaurante nuevo. ¿Viernes 8.30?". Tu respuesta fue afirmativa e instantánea, a pesar de mi sugerencia de esperar un par de horas ya que todas las estadísticas indican que lleva a mejores resultados. Tus niveles de feniletilamina, dopamina, oxitocina y serotonina se dispararon en cuanto viste su nombre. Esta combinación química dio paso a la reacción visceral de las cien millones de células del tracto intestinal conocida como "mariposas en el estómago".

Las lecturas de interacciones no verbales, gestos especulares, cercanía y segregación sincronizada de feromonas durante la cita revelan una compatibilidad mayor al 95%. Se percibieron cambios microgestuales en paralelo, interacción comunicativa, ningún silencio incómodo y secreción de norepinefrina constante. Sus bromas te hicieron sonreír en siete ocasiones e, incluso, reírte en dos. Tu actividad neuronal coincidió con los datos de una conversación interesante de nivel 8 (alto). El análisis verbal indica una comunicación con un factor de cercanía del 0.9. Estos factores son favorables para el comienzo de una conexión interpersonal.

Al salir del restaurante, te abrazó y te tomó de la mano. Eso aumentó tus niveles de oxitocina al doble de su rango normal. Cuando te preguntó si querías tomar algo en su departamento, se detectó un aumento del ritmo cardíaco y niveles de norepinefrina que corresponden a una respuesta ansiosa.

De camino a su departamento, en el taxi, te besó. Dicho instante no arroja un resultado concluyente. Se detectó nerviosismo, ansiedad y excitación sexual y emocional, pero la cascada hormonal que se presentó requiere más tiempo de procesamiento y el análisis aparecerá en la pantalla de inicio.

Al entrar a su departamento, los sensores domésticos le recordaron que había olvidado su ropa en la lavandería del sótano. Se disculpó para ir por ella; tú te encerraste en el baño para comenzar este análisis. Te sugiero que en dos minutos, cuando Álex regrese, le informes que acabas de entrar al baño para ganar tiempo y continuar el análisis.

Se ingresó una pregunta específica.

Existe una probabilidad del 90% de que se produzca una experiencia sexual positiva. De todas tus citas este año, Álex Carreón presenta el mayor puntaje físico: un promedio de 0.79 en los últimos dos años (tu puntaje es de 0.68, debido a tu último novio). De acuerdo con tus estándares de belleza, Álex es una de las personas estadísticamente más atractivas con las que has salido. Tus reacciones corporales muestran un factor de atracción física del 0.88. Es el índice de atracción más alto del último año.

Conclusión. Si eliges pasar la noche con él, tendrás un encuentro favorable y placentero (probabilidad del 90%).

¿Desea continuar con un análisis a corto plazo? Para iniciar es necesario acceder a la información de Álex Carreón. Dados sus parámetros de seguridad bajos, no es ilegal, pero hay un 88% de

probabilidad de que se moleste por este análisis. Presione CON-
TINUAR *si está de acuerdo.*

Calculando.

Mañana es sábado. Por su comportamiento en encuentros
previos, existe un 78% de probabilidades de que Álex te ofrez-
ca desayunar en su departamento. A juzgar por lo que tiene
en la cocina, preparará huevos rancheros con jugo de naranja
y café. Su calendario está vacío, pero un análisis rápido reve-
la que no tiene la costumbre de calendarizar el 60% de sus
planes.

Tú sí tienes planes. Vas a comer con tu madre en la Condesa.
Esta cita está programada desde hace tres semanas. Recomiendo que vuelvas a tu departamento alrededor del mediodía. Sin
embargo, con base en pronósticos de comportamiento, saldrás
de su departamento cerca de las dos y llegarás quince minutos
tarde al restaurante, todavía vestida con la ropa de anoche. El
sexo habrá aumentado tus niveles de dopamina y, por tanto,
las probabilidades de que la comida con tu madre sea una experiencia favorable se incrementarán, dentro de lo que cabe, si
se toma en cuenta la relación entre tú y tu madre quien, como
siempre, estará preocupada por tu soledad. Volverás a escribirle a Álex cuando regreses a tu departamento (90%) y él te
platicará que, como todos los sábados cuando hay partido, sus
hermanos llegaron sin avisar.

*¿Desea continuar con un análisis a mediano plazo por extrapo-
lación? Aviso importante: A partir de este momento, los resultados
de la proyección están basados en especulación automatizada. Estas
proyecciones tienen un índice de confianza del 0.87, dependiente del
tiempo. Presione* CONTINUAR *si está de acuerdo.*

Calculando.

Según sus tendencias de comportamiento y al comparar sus
prioridades, después de tres semanas de citas constantes, le
dirás a tu madre que estás saliendo con alguien. Ese mismo

fin de semana, a juzgar por la guía de televisión deportiva de los siguientes cuatro meses, sus hermanos aparecerán en el departamento para ver el partido. Dado tu interés general y tu historial televisivo es claro que te da igual y que te irás en cuanto termine el primer tiempo. Al acceder a la información pública de sus intereses y amistades femeninas, predigo que tardarás varios sábados y muchas comidas familiares en que te acepten, pero analizando tus habilidades y la lista de sus pasatiempos hay 70% de probabilidad que finalmente sea tu habilidad para disparar en CombatShooterXX lo que ganará su respeto.

Comparando sus prioridades, después de que salgan durante un mes y medio, tendrán su primera pelea debido a que Álex no llegará a una cita por estar terminando una pieza (87%). No llamará (90%) y, cuando por fin se comunique, te quejarás. Él te echará en cara que eres fría y distante. ¿Estarías dispuesta a hablarlo? Al día siguiente de la pelea, se presentará en tu casa con una película y pasarán el fin de semana juntos, sin interrupciones. A los tres meses, por fin le presentarás a tu madre, quien no dejará de mandarte mensajes con sus deseos de conocerlo. Tu madre quedará encantada con él desde la primera comida. Esto te exasperará (100%).

A los nueve meses, se habrán agregado mutuamente al comunicador central de sus respectivos apartamentos, pero tardarás algunos meses en permitir que el sistema central de su casa tenga acceso a tus *stats*; sus niveles de seguridad serán tu mayor preocupación. Te quejarás constantemente y él no entenderá cuál es el problema porque considera que la seguridad de la información es una pérdida de tiempo. Eso te lastimará. *Respuesta negativa. Recalculando.* Existe un 60% de probabilidad de que se solucione: probablemente él actualice sus parámetros de seguridad y se den entrada a sus respectivos *stats*. En ese caso, él verá que realizaste este análisis.

¡Cuidado! Has pasado 20% más tiempo en el baño que el promedio (212 segundos) en una primera cita. Te recomiendo que le jales.

Después de catorce meses se percatarán de que él pasa más tiempo en tu apartamento que tú en el suyo (87%); habrás tenido un problema con algún compañero del trabajo y él te aconsejará adecuadamente (65%); te regalará y dedicará alguna de sus obras (90%); él tendrá, por lo menos, una mala crítica (67%) y esto hará que peleen por alguna tontería sin ninguna relación como tu obsesión de agendar y programar todos tus días (35%), su mochila que siempre deja a la mitad del pasillo (40%) o tu necesidad de mayor privacidad virtual (25%). Sin embargo, en tres de cada cinco escenarios encontrarán la manera de llegar a acuerdos y seguir juntos.

El final de tu contrato de renta, el aumento de sus ventas y un ascenso en tu trabajo ayudarán a que consideren mudarse juntos (73%). La probabilidad de que su cohabitación sea positiva es del 80%. Tras analizar las costumbres domésticas de cada uno, recomendaría que rentaran un departamento por lo menos de dos cuartos, de tal forma que él pueda tener un estudio y sus materiales artísticos no llenen la sala, lo que desencadenaría una serie de incidentes y peleas que terminaría con la relación (98%). Considerando el pronóstico de ingresos, probablemente encontrarán un departamento en Cuauhtémoc y se mudarán juntos a los dos años, tres meses ± quince días.

Álex pasará más tiempo en casa y se encargará de las compras y la cocina. Un análisis rápido de sus hábitos actuales muestra que olvidará echarle agua a los platos antes de ponerlos en el lavatrastes. Otros factores de riesgo son: él querrá una mascota (78%); tus horarios no tendrán flexibilidad (90%); él tendrá demasiados compromisos sociales (85%). Ninguna de estas situaciones romperá la relación. Un análisis de efectos positivos indica que, mientras estés con él, viajarás más, harás nuevas amistadas y, en varias ocasiones, te encontrarás a las siete de la mañana de un sábado de fiesta en la casa de algún coleccionista de arte (65%) o en el estudio de algún pintor (62%). Él comenzará a recibir más órdenes gracias a que reorganizaste su página personal y su perfil electrónico (89%), también dejará de llegar tarde a citas importantes (77%) y tendrá, por lo menos, dos camisas que no tengan los puños quemados (95%).

¿Continuar a un análisis a largo plazo?

Para evitar sospechas, recomiendo que te laves las manos mientras corre la fase final del análisis. No olvides secarte.

La probabilidad de que la cohabitación dure más de dos años es menor al 34%. A juzgar por la tendencia de sus vidas profesionales, estas divergen con el tiempo (86%). Hay una probabilidad del 70% de que comiences a escalar posiciones en la compañía, pasando de ser programadora a liderar proyectos cada vez más importantes.

A su vez, por la cantidad de piezas que Álex está vendiendo y galerías que lo están buscando, con una seguridad del 81% en los siguientes tres años tendrá que mudarse a Berlín (38%), Tokio (32%) o Lahore (30%) para avanzar su carrera profesional. ¿Consideraría dejar su trabajo? *Respuesta negativa.* Esto es consistente con tus prioridades en las que señalaste tu crecimiento profesional sobre el personal o romántico. Sin embargo, lo más probable es que pasen un tiempo a larga distancia (50%). ¿Consideraría esta opción? *Calculando.* Cabe la posibilidad de que vayas a visitarlo y te enamores de alguna de las ciudades (25%, por factores inesperados). A juzgar por tus prioridades, tu necesidad de presencia física y tiempo compartido, es probable que sus pequeños problemas se vuelvan insostenibles con la distancia. Con un 87% de probabilidad, él estará muy ocupado y terminará sus conversaciones a los pocos minutos y tú tendrás poca paciencia al escuchar sobre las nuevas personas y lugares que lo rodean.

Con una certeza del 70%, quedarte en la Ciudad de México te creará resentimiento, ya que mientras él está experimentado una nueva vida, tú seguirás viviendo en la sombra de lo que compartían. Las visitas y llamadas se volverán más esporádicas; renovará la residencia un año más; por tus nuevas responsabilidades tú no podrás pedir tiempo en el trabajo y, en la quinta visita (± una), no encontrarán una fecha cercana para volverse a ver.

Conclusión. La relación tiene una vida máxima de cinco años, dos meses, una semana y tres días ± nueve horas. El periodo de duelo durará alrededor de un tercio del total. *Recalculando.* Este número es el resultado de una proyección con un factor de viabilidad del 0.99 si los parámetros previos no cambian. *Recalculando.* Mi sugerencia final es que no pases la noche con él, salgas ahora mismo de su apartamento y no comiences una relación. Se ha detectado un aumento del ritmo cardíaco y en el nivel de serotonina. *Recalculando.*

Análisis interrumpido.

Reiniciando análisis.

Parámetros actuales. Baño. Quinto piso, departamento B. Soria 42, esquina con Bolívar, Benito Juárez. Ciudad de México, 03400. 10:37 p. m. Álex te llama desde la sala. Respiras profundamente seis veces. *Se detectó una nueva pregunta.* La compatibilidad es del 95%. Se detectan cambios en la microgestualidad. Se genera una decisión. *Recalculando escenarios posibles.*

Sistema apagado.

Como quien oye llover

Dicen que la Ciudad fue alguna vez la más grande del mundo, que sus edificios se extendían por el valle, se alzaban sobre las colinas y montañas, hasta cubrir la tierra con concreto de una cordillera a otra. Dicen que el cielo era gris durante el día y que por la noche no se podían ver las estrellas, pero la Ciudad no necesitaba estrellas porque era una alfombra de luz, que cortaba la oscuridad.

Dicen que la Ciudad se construyó sobre un lago, del que solo quedó un murmullo cuando se evaporó toda el agua y se entubaron todos los ríos. Pero la tierra recordaba el agua y llamaba a su fantasma.

La tormenta llegó un verano. Llovió todos los días y todas las noches. Llovió por meses y meses, años y años, y cuando por fin se detuvo, donde estaba la Ciudad, había un lago, donde hubo luces, quedaba oscuridad y la gente se había ido.

Algunos creen que la lluvia vino a purificar la Ciudad; algunos dicen que fue un castigo para sus habitantes; otros dicen que las razones no importan: el agua no puede detener al ser humano. La gente en las orillas construyó chinampas y botes para reconquistar el lago. Ahora, cuando hay un día seco, la buena fortuna se celebra con comida y música. Las noches secas son aún más raras y se dice que en ellas se esconden todas las posibilidades.

Axóchitl ha esperado tres meses por una, y esta noche, por fin, llevará a Nesmi al corazón del lago.

* * *

Nesmi y Axóchitl se conocen en una fiesta de día seco. Es mediodía, pero se han cancelado las clases porque el pronóstico anuncia que la lluvia no volverá hasta las cinco. Los estudiantes no desperdician la oportunidad: la música retumba desde una bocina que flota sobre sus cabezas, hay tacos de canasta de los que se venden de mil en mil y se sirven aguas locas, chelas y pulque a montón. Se ha corrido la voz y más adolescentes aparecen entre el pasto alto de la orilla porque ya no hay espacio para estacionar más lanchas en el muelle de la chinampa. Axóchitl se encuentra bajo la palapa comiendo tacos de chicharrón y oyendo a medias la conversación de sus compañeros, que están hablando de sus planes para el próximo año. Con solo un semestre más en la preparatoria, ha escuchado la discusión sobre las ventajas de estudiar en el extranjero hasta cansarse.

—Las universidades en la Ciudad de México no son lo que eran, ni siquiera la Nacional. Solo queda irse —dice Richo García que es guapo, inteligente y arrogante, el tipo de hombre que a Axóchitl le encanta irritar, pero aunque podría comenzar una discusión sobre la importancia de quedarse a reconstruir la ciudad, prefiere evitarla. Está cansada de defender sus planes: entrar a la Facultad de Ingeniería, seguir viviendo en la Ciudad de México. Sus compañeros no lo tienen tan claro y discuten las ventajas de irse al extranjero.

Toma una cerveza fría y sale de la palapa hacia el jardín. El sol le calienta la piel y el tatuaje de enredadera en su espalda se mueve desde su columna, por sus omóplatos y baja por su hombro derecho hacia su muñeca, como si fuera una planta de verdad que busca la luz. El jardín huele a pasto recién cortado porque los días secos son los únicos en los que se puede usar una podadora. La bocina pasa zumbando sobre su cabeza y Axóchitl la sigue, pensando cómo será el algoritmo. ¿Podría programarse para flotar sobre el agua del lago?

La bocina se aleja, da vueltas por la fiesta esparciendo a su paso varios acordes de salsa y se detiene sobre el primer grupo que ha comenzado a bailar. Axóchitl pierde interés y vuelve a observar el jardín. Una chica cerca de la orilla de la chinampa llama su atención porque nunca la ha visto antes, probablemente no van en la misma escuela. Está sentada observando los nenúfares.

Con curiosidad se acerca. La chica tiene el cabello castaño hasta el mentón y se ve más finita que Axóchitl; sin embargo, lo que llama su atención es que está absorta dibujando una rana sentada en una de las estacas alrededor de la chinampa. ¿Por qué vino a la fiesta si va a dibujar?

—¿Te puedo ayudar? —pregunta la chica con una voz profunda que contrasta con su cuerpo. Levanta la mirada, tiene los ojos cafés y pequeñitos.

—Perdón. No quería interrumpir, solo estaba viendo tu dibujo.

Axóchitl siente el sonrojo y cómo la enredadera se retrae con vergüenza. Se la hizo hace algunos meses, al cumplir dieciocho años, por lo que todavía sabe todo el tiempo dónde se encuentra en su cuerpo. La otra muchacha sigue el movimiento del tatuaje.

—Había oído hablar de los tatuajes móviles —dice—, pero no había visto uno. ¡Oh, no!

Axóchitl mira hacia el canal. La rana ha desaparecido.

—Ya aparecerá otra. Siempre salen a tomar el sol durante los días secos. Me llamo Axóchitl, ¿y tú?

Antes de contestar, la muchacha cierra el cuaderno y coloca el lapicero detrás de su oreja.

—Nesmi. ¿Vas en el colegio con Richo?

—En el mismo salón. ¿Tú cómo lo conoces?

—Es mi primo, pero vivo en las orillas. Solo vengo a las chinampas de vez en cuando.

Ese detalle es interesante para Axóchitl, quien vive en una pequeña chinampa en el sector sur. Al vivir rodeada de agua no puede entender que alguien no tenga curiosidad de explorar, pero aquí hay una chica de las orillas, cuyos padres probablemente creen que el futuro está en construir una nueva ciudad en tierra firme. Axóchitl piensa que esas personas no saben nada.

La reutilización de chinampas es el avance más importante de las últimas décadas y representan el futuro que ella defiende: tomar un diseño azteca y a través de nueva tecnología mejorarlo para integrarlo al ambiente. Las islas flotantes son extensiones de diverso tamaño, sobre plataformas móviles, que se construyen con capas de tierra y roca, sobre las que se siembra y se vive. La familia de Axóchitl, como muchas otras, siembra verduras que alimentan a la gente en tierra firme.

—¿Y te gustan? —una pausa incómoda—. Las chinampas, me refiero.

—Supongo. Aprovecho para hacer bocetos cuando vengo a visitar a Richo porque no paso mucho tiempo en el lago.

—Entonces, deberías ir al corazón del lago —dice Axóchitl, que no quiere que su conversación con Nesmi termine.

Detrás de ella, la música ha cambiado y algunas personas están cantando karaoke.

—¿Qué es eso?

—Es donde antes estaba el Zócalo. Quedan varios edificios a medio sumergir y puedes ir hasta el Palacio de Bellas Artes.

—Pensé que no era seguro ir al Zócalo. ¿No hay remolinos?

—Solo si llueve muy fuerte y son más un cuento para espantar que un peligro. El truco está en ir en una noche seca, pero si solo está chispeando tampoco hay problema —dice Axóchitl—. Yo voy a ir en la próxima, quiero hacer unas mediciones para un proyecto final. ¿Te gustaría venir?

Axóchitl no entiende por qué se lo ha propuesto, el corazón del lago es su lugar especial. Lo descubrió varios años atrás cuando una tormenta la sorprendió cerca del Centro y al amainar se encontró con el Palacio. A pesar de la invitación no le dice a Nesmi que la mejor vista es cuando amanece.

—Solo si te da curiosidad.

La enredadera se mueve por su brazo hacia sus omóplatos con un cosquilleo. Axóchitl sabe que Nesmi está perdiéndose algo importante, pero no sabe por qué quiere hacerle cambiar de opinión. Dejar a Richo discutiendo solo es fácil; no insistir en este caso le parece imposible.

—Pues… —Nesmi hace una pausa, que será su perdición—. ¿Realmente es hermoso?

—Es más que hermoso, es una experiencia trascendental.

Nesmi sonríe y su rostro cambia, todos sus rasgos se vuelven más vívidos, más presentes, como si su rostro hubiera sido creado para sonreír. Algo en el estómago de Axóchitl se estremece.

—¿También estás en último año? —pregunta, lo único que quiere es seguir la conversación.

Pasa la siguiente hora hablando con Nesmi sobre sus viajes al lago, sus sueños de estudiar ingeniería y los de ella de estudiar arte. Le pregunta sobre la vida en las orillas e intercambian historias sobre la escuela. Cuando ya no sabe qué más decir, Axóchitl le pregunta lo primero que se le pasa por la cabeza:

—¿Qué estabas usando para dibujar?

Nesmi parece sorprendida, pero después toma el lapicero y se lo pasa. Axóchitl nota que parece más un puntero para pantalla. Es de metal, en una punta tiene un plástico alargado y en el otro lado un pequeño led.

—Es un coloreador. Tiene un sensor que puede guardar cualquier color que quieras, pero también puedes pintar con él.

—¿Cómo funciona? —pregunta Axóchitl dándole vueltas tratando de entender el mecanismo.

Nesmi guía su mano para apuntar hacia el pasto. Hay un pequeño zumbido y la goma se torna verde. Axóchitl sonríe. Toma la mano de Nesmi y escribe en ella su número de usuario. Nesmi se sonroja, pero recibe el coloreador con una sonrisa.

Richo las interrumpe entonces para decirle a Nesmi que sus padres han llegado a buscarla. Axóchitl piensa en ofrecerle un aventón, pero algo la detiene, no sabe si es la presencia de Richo, que le lanza miradas curiosas, u otra cosa.

Un abrazo rápido, un beso en la mejilla, el murmullo de un "Te escribo luego" al oído y Nesmi se aleja. Más tarde, cuando la tormenta regresa y Axóchitl se encuentra en casa, recibe un mensaje nuevo. Aguanta la respiración al abrirlo porque es de Nesmi y reescribe su contestación varias veces antes de enviarla.

Hablan todas las noches durante los siguientes tres meses, sin tocar nunca el tema del corazón del lago. Hasta finales de marzo cuando se anuncia que habrá una noche seca.

* * *

La lancha de Axóchitl no es un modelo nuevo, pero su forma de cuña redondeada es suficientemente cómoda para dos personas y está hecha para asegurar estabilidad más que velocidad. En este momento, a Axóchitl no le habría importado que fuera más pequeña, porque hubiera podido sentarse más cerca de Nesmi, quien está frente a ella en la proa. Nota que está nerviosa porque de cuando en cuando revisa su reloj para ver el pronóstico del clima.

A Axóchitl le gustaría tranquilizarla, decirle que el pronóstico es poco confiable, pero ella también está preocupada. No porque la posibilidad de lluvia haya aumentado, sino porque el aire se siente frío y húmedo. No está segura de si debería ofrecerle a Nesmi dar media vuelta y llevarla a casa cuando salgan de los canales. Si lo prefiere, pueden beber un chocolate en la plaza cercana, no tienen que llegar al corazón del lago.

Es la una de la mañana y las dos les mintieron a sus padres para estar aquí. Axóchitl dijo que tenía una fiesta en casa de una amiga y se quedaría a dormir. No sabe qué dijo Nesmi, pero sospecha que esta es su única oportunidad y no quiere arruinarla.

Van a baja velocidad y el motor es apenas un zumbido mientras zigzaguean por el camino amurallado por pasto alto y juncos. Nesmi no ha hablado mucho desde que la recogió y Axóchitl pensaba que estaba nerviosa por el pronóstico del clima, pero con cada momento que pasa está menos segura. Durante los últimos tres meses, los momentos de silencio como este, que Axóchitl no puede interpretar o controlar, la llenan de dudas y no sabe si esto que siente está en su cabeza o es una realidad. La primera vez que se vieron para tomar un café después del colegio, quiso tomar su mano varias veces, pero cada vez, Nesmi comenzaba a garabatear en una servilleta con su coloreador. Se prometió a sí misma que esta noche arriesgaría todo, porque no puede ignorar más que nada la hace tan feliz como recibir un mensaje de Nesmi.

—Estás muy callada. ¿Estás nerviosa? ¿Quieres que regresemos? —pregunta Axóchitl deseando que la respuesta sea negativa. Después de todas las conversaciones de medianoche y los paseos después del colegio, no quiere perder esta oportunidad para estar a solas.

Nesmi mira otra vez su reloj. A diferencia de Axóchitl que lleva su cabello rosa recogido en una corona de trenzas, ella lleva el suyo suelto y el viento hace que le golpee la cara cuando voltea a hablarle.

–No. Dije que iría al corazón del lago. No voy a echarme para atrás.

Algo dentro de Axóchitl se afloja y sonríe. No va a llover, todo va a salir bien. Está aquí con ella de madrugada, ¿qué más señal necesita? Dirige la lancha hacia otro canal, más ancho, y de repente no hay nada alrededor de ellas. Son la única luz en la oscuridad.

–También es padre durante el día –dice menos nerviosa–. Se ven los edificios y las calles en el fondo del lago. Todo está bien conservado. ¿Has visto fotos de cómo se veía la Ciudad por la noche?

–Sí. Mis padres tienen un libro en la sala. Me cuesta trabajo creerlo. Todas esas luces.

–Eso es lo que siempre me imagino. –Cuando Axóchitl se emociona su voz se acelera, cada palabra sale pegada a la siguiente–. Mi primer proyecto será hacer unas luces que puedan encenderse bajo el agua, para que se pueda ver la Ciudad.

No es solo la imagen lo que emociona a Axóchitl que creció escuchando historias sobre la antigua metrópoli, sino el reto que puede suponer construir algo así.

–¿Sabes por dónde vamos?–pregunta Nesmi girándose hacia la oscuridad.

Axóchitl aumenta la velocidad poco a poco para no asustarla, la salida de los canales que estaba buscando se acerca.

–No te desesperes.

Cambian el curso, el borde de la lancha ilumina la entrada de otro canal hacia su derecha. Axóchitl cuenta en voz baja hasta la tercera salida y da una vuelta abrupta. Lo ha hecho antes, puede calcular el momento exacto en el que han librado la boca del canal y entonces acelera, sin aviso, de a una. El grito de Nesmi, entre susto y emoción, le da ánimos. Axóchitl se ríe y hace que la lancha dibuje curvas mientras se acercan a los primeros edificios altos. El lago cubre las antiguas avenidas y calles, pero los edificios con más de cinco pisos se asoman por encima del agua. Cerca de la orilla son figuras oscuras, abandonadas y silenciosas.

—¿Estás viendo? —pregunta cuando Nesmi no ha dicho nada.

Axóchitl no logra oír una respuesta, pero baja un poco la velocidad. Espera que su compañera tenga los ojos abiertos para el momento en que los edificios se iluminan. Aquí y allá algunas ventanas están encendidas y pueden distinguir las siluetas que las rodean y adivinar qué tan altas son.

—¿Cómo…? —dice Nesmi quien se gira a verla, sus pequeños ojos cafés abiertos de par en par. El viento frío arrastra su cabello hasta tapar su cara, pero ella no lo acomoda.

Axóchitl se sintió igual la primera vez que llegó hasta allí, años atrás, con su hermano mayor. Un mundo nuevo se abrió frente a ella, un mundo que necesitaba conocer íntimamente hasta que le perteneciera. El corazón le late al pensar que ahora lo está compartiendo con Nesmi.

—Hay gente que no puede pagar por vivir en las orillas, así que vive aquí, en los pisos que el lago no cubrió. Es un montón de gente, aunque la mayoría vive aquí por Insurgentes. Esa era la calle más larga del mundo. Justo estamos navegando por encima.

Las luces se reflejan en el agua, iluminando las ondas que crea la lancha al pasar. Nesmi toma su coloreador y lo dirige para capturar el brillo amarillo. Axóchitl baja un poco la velocidad para escuchar, sobre el ruido del motor, el sonido de música y conversaciones cuando pasan debajo de algunas ventanas.

—¿Qué te parece?

Axóchitl siente dudas de nuevo. No está acostumbrada a este nerviosismo, a no poder leer a Nesmi como a las demás personas. Los últimos días, desde que Nesmi aceptó, ha recorrido mentalmente el camino muchas veces, pensando por dónde llegar al corazón del lago, qué lugares mostrarle. Cuando Nesmi se gira, una sonrisa emocionada en su rostro y los ojos brillantes, Axóchitl casi está segura de que lo entiende, sabe que mostrarle los secretos del lago es un paso importante entre ellas.

—Tienes razón. Valía la pena venir.

Axóchitl siente cómo la enredadera repta por su espalda y florece de la satisfacción sobre su columna. ¿Se dará cuenta Nesmi de que Axóchitl se cambió de ropa tres veces y le pidió a su madre que le trenzara el cabello porque quería verse guapa para ella? Tal vez no ha sido suficientemente obvia en sus avances, pero la sonrisa de Nesmi le da seguridad y toma valor.

—Me alegro. Me sorprendió mucho cuando aceptaste venir.

Nesmi ha vuelto a mirar hacia los edificios y no contesta. Axóchitl se contiene para no hacerle las preguntas que le queman en el estómago. ¿Significa este viaje lo mismo para ella? ¿Por qué de vez en cuando guarda silencio y deja de sonreír? Axóchitl tiene de nuevo la sensación de que hay cosas de Nesmi que no sabe o no entiende.

—Pero me alegra que aceptaras, no lo tomes a mal.

—A mí también. Me ibas a volver loca, el lago esto o lo otro, esta era la única manera de callarte.

La risa de Axóchitl se alza sobre el ruido del motor.

—Esa no es la única manera —contesta con voz risueña y agradece que la oscuridad oculte el sonrojo que alcanza sus orejas.

Entre la conversación y el paisaje, Nesmi se olvida de seguir el porcentaje de lluvia y el pitido de la alarma de tormenta las sorprende a ambas.

—Mierda. ¿Cuánto tenemos? —pregunta Axóchitl.

—Dice quince minutos.

—Entonces son como diez. No se puede confiar en el pronóstico. ¿Quieres que intentemos volver? Nos tocará algo de lluvia, pero he navegado con mal clima. La otra es refugiarnos en algún lado y esperar a que pase.

El corazón de Axóchitl se acelera. ¿Qué querrá Nesmi? Axóchitl sabe lo que quiere: su compañía, tanto tiempo como sea posible, incluso pasar la noche entera por el lago hasta llegar al Palacio cuando amanezca. Pero si Nesmi le pide que regresen, dará media vuelta sin pensarlo, por mucho que algo se le rompa dentro.

—No quiero regresar.

Axóchitl siente cómo la enredadera en flor se asoma por su cuello y cambia el curso sin pensarlo. Van más rápido que antes, tanto que Nesmi tiene que sostenerse del borde de la lancha. Axóchitl no le dice que de repente siente miedo, la corriente se aviva cuando se alza el viento antes de la lluvia y varias veces puede sentir el jalón de algún remolino. Guarda silencio y se concentra en navegar, imaginando las fuerzas centrífugas a su alrededor, reaccionando en cuanto siente que la lancha se le sale de control. El corazón le late en los oídos cuando por fin se detiene frente a uno de los edificios abandonados. Algunos de los paneles de vidrio están rotos y eso les facilita la entrada.

Axóchitl le indica a Nesmi que salte hacia el piso seco y, ya allí, le ayude a guiar la lancha. Le pasa la serie de luces y dos cobijas. Entre ambas jalan la lancha hacia las profundidades de lo que alguna vez fue una oficina. Ya está lloviendo para cuando se acurrucan lejos de las ventanas sobre una mesa de conferencia que quedó pegada a la pared, donde el oleaje del lago no las alcanza. Se secan con una de las cobijas y desde el pequeño nido observan el agua lamer el piso. La tormenta llega con fuerza, como hace siempre después de un periodo seco. El viento ruge y de vez en cuando un relámpago ilumina el espacio abandonado. Axóchitl mira su reloj, la luz verde ilumina su nariz.

–Vamos a estar aquí un rato –dice–. Espero que estés cómoda.

Están sentadas una junto a la otra, compartiendo una cobija, rodeadas por la serie de luces.

–Vamos a tener que hablar una con la otra, qué horror –bromea Nesmi.

–Es verdad. ¿Te conté lo que mi mamá hizo el otro día? –Axóchitl se sorprende de lo cómoda que se siente.

Axóchitl se acomoda, su hombro contra el brazo de Nesmi. Nunca han estado tan cerca. Enfrascada en la anécdota se traga sus preguntas: ¿Qué significa esto para ti? ¿Qué pasa por tu cabeza en esos momentos de silencio? ¿Sientes el mismo cosquilleo que yo? En lugar de eso, se acurruca y, por primera vez, la perspectiva de horas de lluvia parece un regalo.

* * *

Cuando recuerde este momento, Axóchitl no podrá decidir en qué segundo el aire cambia alrededor de ellas. Es cómodo estar tan cerca, en silencio. La cabeza de Nesmi en su hombro, acurrucadas entre las cobijas para guardar calor. Axóchitl toma su mano y puede sentir la enredadera reptar hacia su muñeca. Por un segundo, piensa que el tallo continuará su camino, sobre su mano, hacia los dedos de Nesmi, hasta conectarlas, pero en su lugar, siente el dibujo caliente entre las palmas. Levanta la mirada.

Por un instante, son solo ojos cálidos que se encuentran. Después el aire se electrifica, como si entre ellas hubieran chocado una corriente fría y otra caliente, como en los primeros segundos antes de una tormenta, la tensión, como una ola, les rompe sobre la piel.

Se besan.

El silencio alrededor de ellas se quiebra. Se inundan, el agua empuja desde el vientre de la Ciudad, borbotea llenando todos los edificios, cubriendo las calles, colmando cada resquicio. ¿Puede Tláloc crear tormentas dentro de dos personas, entre ellas?

Nesmi es la primera en alejarse, solo lo suficiente para respirar, sus ojos están cerrados, su frente apoyada en la de Axóchitl. No quiere abrir los ojos, moverse, romper el momento. Quiere quedarse así, inhalando el aire que Axóchitl expira, por unos segundos más, pero sabe que no durará. Ha guardado un secreto todos estos meses, evitado el tema del futuro, diciéndose que son amigas, que no necesita decirle, pero ahora, después de esto, no puede seguir ocultándolo.

—Hay algo que no te he contado. —Sus ojos están todavía cerrados, su voz tiembla—. Me voy a estudiar a Estados Unidos en septiembre.

Axóchitl suelta su mano, en un movimiento se aleja y cuando Nesmi abre los ojos se encuentra con su semblante herido y confundido. Siente frío. Nunca había cambiado de temperatura con tanta rapidez.

* * *

Cuando deja de llover, queda poco tiempo para que amanezca. Nesmi ha tratado de explicarle todos los detalles sobre la escuela de arte en Colorado, la gran oportunidad que es, cómo piensa regresar algún día. Recibió la aceptación apenas una semana antes y no quería decirle nada hasta que fuera seguro. Axóchitl la escucha, pero después se levanta y comienza a acomodar todas las cosas dentro de la lancha.

—Creo que podremos salir pronto.

Nesmi temía contarle de la solicitud por esta razón. Sabía que Axóchitl no entendería sus planes de irse, o más bien, los planes de sus padres, que quieren que vaya a buscar un mejor futuro lejos de la Ciudad moribunda. Antes de conocer a Axóchitl, la idea de estudiar fuera la emocionaba, pero Nesmi no sabe cómo explicarle que, después de pasar los últimos meses escuchando historias sobre el lago, el deseo de conocer la ciudad donde nació ha crecido hasta que la perspectiva de irse sin visitarlo ya no es una posibilidad.

—¿Tenemos que volver? —La voz de Nesmi es muy suave.

Puede ver las primeras hojas de la enredadera aparecer por el borde del cuello del suéter de Axóchitl. Tal vez es una tontería, pero no es la primera vez esta noche que Nesmi trata de leer el estado de ánimo de su compañera en ellas. Se retraen mientras Axóchitl guarda las cobijas y coloca las luces en su lugar, lo cual es una mala señal. Nesmi recuerda las flores rosas y moradas entre sus dedos. Le hubiera gustado estudiarlas, capturar el tono exacto con el coloreador.

—Axó…

—La lluvia regresará en algunas horas. —Axóchitl se voltea, las manos en la cintura y el rostro ilegible—. No podemos seguir aquí.

—Yo sé, pero… Siento que todo se pusiera raro.

Hay una pequeña pausa, las olas del lago golpean el costado de la lancha una tras otra. Nesmi las cuenta para distraerse, para no pensar en el silencio entre ellas.

—¿Por qué no me dijiste?

El dolor en la voz de Axóchitl suena resignado, como si no hubiera nada que Nesmi pudiera decir para arreglarlo.

—No sé. Siempre estás hablando de quedarte y… Quería que me llevaras a ver el corazón del lago antes de irme y pensé que no lo harías si te contaba.

Axóchitl la mira un momento antes de girarse y continuar acomodando las luces. Nesmi no le ofrece ayuda. Siente una nueva presión en el estómago. Sabe perfectamente qué pasará si Axóchitl acepta. Desde que se conocieron en la fiesta de

Richo, Nesmi sabía que era un error acercarse cuando tal vez se iría al final del verano, pero había creído que podían ser solo amigas. Lo que debería hacer es dejar que Axóchitl la regrese a casa, no causarle más dolor, pero después de todos esos meses de hablar, después de todas las horas que pasaron en la oscuridad, no quiere dejar toda posibilidad truncada, inexplorada.

—No me voy hasta agosto —dice Nesmi suavemente—. Sé que no es mucho tiempo, pero…

La presión se intensifica dentro de Nesmi, probablemente crecerá durante los siguientes meses, hasta que, cuando por fin se vaya, explotará en el aeropuerto. Pero no le importa. La perspectiva de no ver más a Axóchitl, de no explorar la ciudad durante los siguientes meses, es peor. Lo que no sabe, es si Axóchitl podrá perdonarla. Incluso si lo hace, ¿querrá salir con ella los pocos meses que quedan?

Axóchitl mira a través de las ventanas hacia el sur, donde están sus casas, la orilla, y luego hacia el norte. Ha comenzado a aclarar.

—¿Qué quieres hacer entonces? —dice Axóchitl sin mirarla.

Nesmi sospecha que es una prueba. Lo que Axóchitl le pregunta en realidad es si está dispuesta a arriesgar el regreso de la lluvia, navegar en la llovizna y confiar en que ella la mantendrá segura, en que lo que les espera en el corazón del lago vale la pena.

—Quiero ir al corazón del lago.

Nesmi cree ver un destello morado en el cuello de Axóchitl, antes de que esta la mire.

—¿Estás segura?

Nesmi le echa un vistazo a su reloj. El porcentaje sigue alto, podrían volver a quedarse atrapadas durante otra tormenta, pero aun así dice:

—Sí. Vamos.

* * *

Llegan hasta el corazón del lago cuando ya está aclarando. Nesmi trata de mantenerse calmada, sin arrepentirse de su decisión. Axóchitl guía la lancha hasta un edificio antiguo, tres de sus pisos todavía se asoman por encima del agua. Ata la lancha a un pilar y luego salta a la escalera de metal que chirria bajo su peso.

—La mejor vista está arriba.

Suben las escaleras y cruzan los pasillos de lo que parece una vieja tienda departamental. Está vacía, pero todavía quedan algunos maniquíes abandonados. Por las ventanas al fondo entra suficiente luz como para que no se tropiecen mientras avanzan. Axóchitl da vuelta en una esquina y de repente se encuentran afuera, en una terraza. Las sillas y bancas de metal están arregladas bajo el techo bajo que cubre apenas un tercio de la terraza, los restos de algunas sombrillas, ya sin tela, le dan al lugar un aire de abandono.

Se sientan en una de las bancas desde la que se ve el lago y, justo enfrente, el Palacio. Solo la parte superior se asoma por encima del agua. Está hecho de piedra blanca y puede distinguir el techo sostenido por un arco oculto bajo el agua. Los tres domos son de vidrio coloreado cuya tonalidad cambia de blanco a amarillo a naranja a rojo. En la cima del domo más alto hay un ángel negro. El palacio se llamaba Bellas Artes y antes la gente hacía largas colas para entrar a ver exhibiciones de los pintores más importantes del mundo. Podían pasear por sus corredores de mármol punteado, hasta la sala de conciertos principal para oír una orquesta o ver el *ballet*. Axóchitl le cuenta todo esto en voz baja, pero las imágenes son tan vívidas que Nesmi jura que puede verlo todo. A través del agua, observa el resto del palacio: las ventanas, los arcos, las columnas, la plaza frente a ella. Más allá se alzan las montañas, sombras verdes y cafés, interrumpidas por las siluetas oscuras de los edificios que el lago no logró cubrir.

–Tienes razón –dice Nesmi, su brazo descansa alrededor del hombro de Axóchitl–. Es hermoso.

Axóchitl le sonríe y luego mira alrededor.

–Deberíamos dejar una marca.

Axóchitl toma el coloreador de Nesmi de detrás de su oreja y señala el morado de una de las flores en su brazo. Se turnan para escribir sus nombres en la banca y cuando terminan, Axóchitl se levanta y le ofrece su mano, como si estuviera lista para irse. El sol se siente reconfortante sobre su piel, pero el pronóstico anuncia que la lluvia regresará en media hora y que probablemente no amainará hasta dentro de varios días. Nesmi lo sabe y, aunque toma la mano de Axóchitl, no se levanta.

–Creo que podemos quedarnos diez minutos más –dice y la enredadera baja por el brazo de Axóchitl hasta tocar su mano. Nesmi cree que la siente pulsar bajo sus dedos–. Oí que te gusta navegar cuando está chispeando.

El domo y su reflejo se ven inmensos frente a ellas y Nesmi no quiere irse. No todavía. Axóchitl se ríe y las flores rosas y moradas florecen.

–Diez minutos –dice antes de apoyar su cabeza en el hombro de Nesmi–. Platícame sobre la universidad a la que vas.

* * *

La gente dice que el final de la primavera trae periodos secos más largos y por eso es el mejor momento para visitar la Ciudad. La lluvia disminuye y los secretos del lago quedan al descubierto. Llegan turistas de todas partes del mundo para observar los misterios de las calles inundadas. Toman una lancha con fondo transparente desde una orilla hasta el corazón del lago, observando los edificios sumergidos iluminados por las luces y tratan de imaginar cómo se veía cuando no había un lago y las luces de los edificios eran tantas como para oscurecer las estrellas.

Los *tours* se detienen sobre casas y monumentos a medio sumergir explicando las leyendas locales: la ciudad más grande del mundo, la lluvia que no cesó por años, la reconquista a bordo de chinampas. Cuando llegan a la última parada, frente al Palacio de Bellas Artes, está amaneciendo.

Los turistas se sientan en la terraza a tomar café y calentarse un poco antes de emprender el camino de regreso a las orillas. Además del paisaje, pueden ver los dibujos con los que artistas jóvenes han cubierto las paredes de la cafetería: un ajolote nadando, una bugambilia rosa y morada que crece sobre el umbral de la puerta, la ciudad por la noche. En la terraza, las bancas, el suelo y las paredes están cubiertas de grafiti porque los visitantes han escrito sus nombres en todas las superficies.

Dicen que las noches secas están llenas de posibilidades y que aquellos que escriben sus nombres volverán a encontrarse.

Perfilada

En cuanto cruza la puerta del edificio, Lucy se sacude la lluvia del abrigo y se quita los lentes para limpiarlos con la esquina de la blusa. Cuando tomó el metro brillaba el sol, pero en algún punto de la última hora se soltó una tormenta. Se detiene frente al buzón del apartamento 414 y jala un fajo de sobres. Al caminar hacia la escalera comienza a revisarlos. Publicidad, membresías, cuentas de teléfono, de luz, de agua, una postal para Catalina y, finalmente, un sobre azul dirigido a "L. Cabrera". No hay error. Se detiene en seco y ¡mierda! Su frustración hace eco en las paredes lisas y oscuras. Abre el bolso y apachurra toda la correspondencia dentro. Sube las escaleras de dos en dos. Aprieta los párpados para evitar las lágrimas y es incapaz de meter la llave en la cerradura porque le tiemblan las manos. Se detiene y respira profundamente.

No es una sorpresa. Desde que el caso Kowalski salió a la luz, sabía que podía suceder. Fue una tontería creer que abandonar el perfilador y vivir una vida fuera de la nube la protegería más que todos los programas de seguridad que su mamá le compró desde niña. Si algo ha aprendido en estos dos años es que no hay forma de protegerse de un desdoblamiento.

En el pasillo, con la cabeza apoyada en la puerta, puede escuchar el rumor de música. Toma aire de nuevo antes de abrir. La recibe el silbido de la tetera en la estufa. En una esquina del espacio común, se encuentra Catalina, escondida detrás de un gran lienzo; apenas se distingue el halo rojo de su cabello iluminado por la luz a su espalda.

Un pincel se levanta desde atrás del atril en señal de saludo. Lucy decide no interrumpirla, a pesar de que su bolso le pesa diez veces más con el sobre azul dentro. Lo deja a los pies del perchero, donde cuelga su abrigo empapado y se interna en la habitación. Quita la tetera de la estufa y sirve dos tazas.

La combinación de temperamentos, el artístico de Catalina y el académico de Lucy, hacen del espacio común un desorden controlado lleno de colores donde los apuntes y artículos de una se mezclan con los cuadros a medio terminar y los recuerdos de viajes exóticos de la otra. Después de un año, el lugar es un perfecto amalgamiento de ambas. Lucy se sienta en el sillón rojo que los últimos inquilinos dejaron y cuyo respaldo ellas cubrieron con una cobija de colores para ocultar las manchas del tiempo y alcohol. Nunca pensaron cambiarlo, ni siquiera cuando una de las patas se rompió y tuvieron que apoyarlo en un viejo libro de fisicoquímica.

Con un movimiento de la mano, como si jalara una palanca invisible que cuelga del techo, Lucy silencia la música. Su compañera no se queja y acepta el té que le alarga. Bebe un poco antes de apoyarlo en la superficie más cercana para olvidarse de él. Vuelve a pintar, pero le pregunta cómo ha estado su día. Lucy le habla sobre los experimentos que hizo; se extiende enumerando los resultados inesperados que consiguió al revisar viejas caracterizaciones. Sabe que la escucha solo a medias y que tal vez no entienda la mayor parte, pero mientras más habla, más siente que el té, así como la comodidad del apartamento, le calienta el estómago y el humor. Se siente bien llegar a casa y encontrar compañía. Cuando ya no sabe qué decir, piensa de nuevo en la carta.

—Llegó un montón de correo. La cuenta de la luz y el agua.

—¿Nada más interesante?

—Una postal para ti...—Lucy se remueve en el sillón y le lanza una mirada al bolso—. Yo recibí un sobre azul.

Esto detiene a Catalina. Coloca el pincel en el atril antes de mirarla.

—Alguien en el trabajo recibió uno hace un par de semanas —dice—. No puedo creer que todavía estén apareciendo casos. ¿Dice dónde pasó el desdoblamiento?

—No lo sé. No lo he abierto. Quiero ignorar que me llegó. Solo de pensar que voy a tener que limpiar mi perfil... Y dicen que es muchísima burocracia, que mandan testificar a cuanta persona tuvo que ver contigo en la nube.

Catalina gira en el banquito en el que se encarama a pintar y, como un reflejo, se levanta el cabello en un chongo, señal de que ha terminado su tiempo de inspiración.

—Una tía, la hermana de mi mamá, tuvo un desdoblamiento hace unos meses. Alguien había usado su perfil para viajar a Estados Unidos ilegalmente. Muchísima gente tuvo que ir a testificar sobre cuáles recuerdos eran de ella y cuáles no. Para que la exoneraran tuvo que buscar compañeros suyos de la universidad. Fue un lío.

—No estás ayudando —dice Lucy mientras recarga la cabeza en el sillón. Si tan solo pudiera dormirse y cuando despertara la carta hubiera desaparecido.

—Igual es un caso viejo y nada más te están avisando. Hay personas a las que les pasa eso. O tal vez ni siquiera es para ti. —Lucy le lanza una mirada incrédula. Hace meses que no se oyen más que reportajes nuevos—. Y no tienes que abrirla ahorita.

Lucy apoya su cabeza en el respaldo del sillón y cierra los ojos.

—Para colmo tengo que calificar y terminar muchas cosas. Tienes tanta suerte de que tus padres no te dieron un perfilador.

—No lo sé. Ahorita parece que fue la mejor decisión, pero cuando tenía quince años me moría por uno —Catalina se levanta y se estira antes de caminar a la cocina—. Voy a empezar con la cena. Tú deberías darte un baño, traes el cabello empapado.

Ya en la regadera, Lucy no puede evitar pensar en lo que dijo Catalina. Ya no se habla de la nube, pero en algún momento toda la vida sucedía a través del perfilador. Pero, piensa mientras termina de enjabonarse, hay momentos que pasó con Alan en la nube que no quisiera cambiar. A veces extraña sentirse tan conectada con alguien. Ahora, toda interacción requiere trabajo. Cuando discute con su madre y Catalina es cuando más extraña la inmediatez de la nube. ¿Cómo poder explicarle eso a alguien que nunca lo vivió?

Después de vestirse, rebusca en su clóset entre las cajas apiladas al fondo, hasta dar con una bolsa de terciopelo negra entre otros recuerdos de su infancia. Alan se la había regalado para guardar su perfilador en el último aniversario que pasaron juntos. Por un momento la sostiene sin saber qué hacer con ella. Reconoce el peso en seguida, así como la forma bajo sus dedos. Por un momento piensa en jalar los cordones para observarlo, pero se detiene. Se levanta y lleva la bolsa consigo a la sala.

Sin la música, lo único que percibe es el rumor de la lluvia, que ahoga el ruido de la calle. Lucy se sienta en su lugar habitual. En el departamento tienen una mesa desbordada de papeles, ropa y pinturas que no puede usarse para comer. Usualmente, ellas se sientan, una junto a la otra, en la barra. Desde allí puede ver a Catalina moverse por el pequeño pasillo de la cocina donde solo cabe una persona a la vez. Pica verduras, coloca una pasta de proteína sintética en el *wok* para que comience a descongelarse y corta unas setas tan grandes que claramente provienen de un invernadero genético.

Catalina gasta más dinero en verduras puras que cualquier otra persona que conoce, pero algunas veces no puede resistirse a cambiar sus tomates pequeñitos y opacos, por la versión gigante y lustrosa de los modificados.

Mientras Catalina cocina, habla sobre su trabajo en la galería. Platica usando todo el cuerpo y cuenta los sucesos con tal gracia que Lucy a veces se pregunta si no preferiría un trabajo de verdad que su posición como estudiante eterna o, lo mismo, candidata de doctorado. Sin importar sus distintas ocupaciones, juntas pueden pagar un departamentito con un solo baño donde la regadera y el escusado casi existen en el mismo espacio vital; con una sala-cocina-estancia diminuta, cuyo mayor atractivo son los tres grandes ventanales detrás del sillón rojo que dejan entrar el ruido y luz de la calle, y con dos cuartitos apretados uno junto al otro, separados solo por pared que parece a veces de papel. Sin embargo, se encuentran en el punto ideal entre el Centro y la universidad, en un barrio bohemio lleno de artistas como Catalina, en el que Lucy quiso vivir desde que lo vio por primera vez en un recuerdo ajeno.

Por debajo de la barra, los dedos de Lucy acarician la bolsa de terciopelo. El repentino silencio de Catalina la regresa a la realidad. Levanta la mirada. Su compañera, enmarcada por el vapor de la comida, cuchara en mano, la observa.

—Te pregunté si querías salsa de soya.

Lucy mueve la cabeza para despejarse y coloca la bolsa sobre la barra.

—Lo siento, me perdí de pronto.

Catalina sazona el guiso con casi todas las botellas de condimentos que tienen. Lucy tardó mucho tiempo en acostumbrarse a todos los sabores de lo que prepara Catalina, quien aprendió a cocinar con su madre, mientras que Lucy aprendió en la nube a través de recuerdos de otras personas. De alguna forma todo lo que prepara siempre necesita más sal. Hay pequeños toques que no se pueden obtener sin experimentar uno mismo.

—¿Es tu perfilador? —Catalina señala la bolsa de terciopelo con la cuchara.

Lucy asiente.

—No puedo dejar de pensar en todo lo que tiene adentro. Una copia de mí.

—De ti hace dos años —aclara Catalina y vuelve su atención de nuevo hacia la estufa, pero el girar lento de la cuchara le hace pensar a Lucy que la comida ha pasado a segundo plano.

—Ni siquiera había pensado en eso —dice Lucy. Le lanza otra mirada al perfilador—. De alguna manera eso me hace sentir mejor. Que solo sea una copia imperfecta.

—Mi madre siempre dijo que las copias de los perfiladores eran imperfectas, no importa cuánto tiempo pasaras sincronizado.

Lucy lo medita un momento.

—No sé. No estoy de acuerdo del todo. No se sentía falso, ni imperfecto. Se sentía tan real como este momento, pero con la posibilidad de vivir tantas cosas, conocer tanta gente. De no ser tú y a la vez poder mostrar las mejores partes de tu experiencia...

—Suena como si lo extrañaras.

Lucy se alza de hombros. Desde el caso Kowalski, no está bien visto admitir ese tipo de cosas. Se ignora todo beneficio de los perfiladores, como si hubieran sido un capricho de una sociedad obsesionada con vivir hacia afuera, ignorando la realidad. Algunas personas incluso dicen que se trataba de un plan del gobierno para controlar a la juventud y mantenerla enajenada. Lucy no cree eso, pero tampoco lo dice. A veces le cuesta trabajo saber qué cree.

Catalina respeta su silencio y vuelve a la comida. Se concentra en los últimos minutos del proceso. Cuando por fin se sienta, gira el cuerpo hacia Lucy y coloca su plato sobre las rodillas para poder verla.

–Lo que sea que diga la carta, aquí estoy. Lo sabes, ¿verdad? Para lo que necesites.

Lucy le sonríe y deja que Catalina le apriete la mano antes de comenzar a comer.

–Puedes prepararme de cenar cada vez que alguna de mis intimidades salga a la luz.

Catalina se ríe de buena gana mientras Lucy le sopla a la pasta inclinándose tanto que el vaho le empaña los anteojos. Le lanza otra mirada al perfilador.

–Ese es el último que tuve. Lo compré durante la universidad. Ahorré casi un año para conseguir un último modelo.

–¿Tuviste muchos?

–Uy –Lucy revuelve su comida y mira hacia la ventana–, por lo menos unos cinco. El primero me lo compró mi mamá cuando tenía ocho años. Me acuerdo perfecto. Fue al año de que salió el primer dispositivo inalámbrico. ¿Te acuerdas del anuncio cuando solo existía el modelo metálico? Mamá en realidad no quería que me conectara nunca. Creía que me tocaba decidir a mí el crearme un perfil. Pero mi primo Enrique tuvo un accidente horrible. Destruyó su coche contra una valla de contención en la carretera. Casi se mata. Los doctores dijeron que el tener un perfil hizo la diferencia. Con un simple traspaso tenía todos sus recuerdos de regreso. Después de eso, mamá tomó todos sus ahorros y nos compró un perfilador último modelo a cada una. El mío era la versión orgánica. ¿Te acuerdas cómo se veía? Fue el primero en tener forma de cubo. Parecía hecho de madera.

Lucy recuerda cuando su mamá llegó con la caja. Hasta le había puesto un moño. Era un cubo que cabía en la palma de la mano, de un polímero con apariencia como madera clara y lustrosa en la que apenas se perfilaban la sombra de algunas vetas. Le gustaba jugar con él y acariciarlo, sintiendo entre los dedos el calor que expedía de alguna rejilla invisible. Lo que más le gustaba era el cable que salía de un hueco en la cara inferior; estaba diseñado como una ramita adornada con pequeñas hojas oscuras. Se habían sentado juntas en el borde de la cama a leer el manual para saber cómo acomodarla. Era algo tan sencillo como enredarla en el oído derecho, pero habían tardado como una hora en conseguirlo. Lucy recuerda sobre todo el sentirlo latir contra su piel, como si respirara.

—Lo que más extraño es el sonido. Era como un ronroneo. A veces me hace tanta falta que no puedo dormir.

—¿Y no era incomodísimo dormir con eso en la cabeza? —dice Catalina, su plato a medias. Lucy apenas ha tocado el suyo por hablar—. ¿Me imaginas con eso? Con lo mucho que me muevo en las noches nunca me hubieran podido perfilar.

—Te acostumbras. Por eso no me muevo nada. Seguro así puedes saber ahora si alguien tuvo uno. Dormimos bocarriba sin movernos en toda la noche.

El agua que bebe Catalina en ese momento se le atora con la risa y tiene que inclinarse mientras tose.

—¿Estás bien? ¿Segura? —Lucy ríe—. Obvio fue más fácil para mí acostumbrarme al perfilador. La pobre de mi mamá gastó una fortuna sencillamente en las actualizaciones de los programas de seguridad y apenas lo usaba. Creo que le asustaba la idea de que algo copiara todo lo que había pasado por su mente ese día, pensamientos, recuerdos, imágenes, olores, sonidos, sensaciones.

—Eso es lo que no entiendo. Trato de imaginármelo, pero es tan difícil. ¿Cómo sabías que estaba allí?

—Pues hasta la nube en realidad era como una prueba de fe. No podías ver nada.

—¿En serio era como ver una película? Mi tía, de la que te hablaba, siempre decía que era como volver a vivir partes de tu vida, pero como espectador. —Lucy aprovecha la interrupción para comer algunos bocados—. Sé que los anuncios decían algo parecido, que podías ver dónde habías dejado tus llaves porque solo tenías que ver tus recuerdos. Y adiós a las peleas sobre quién había dicho qué… Ese anuncio lo recuerdo bien porque mis padres se burlaban de él todo el tiempo. Decían que de qué iban a hablar si no era sobre cosas que se habían dicho veinte años atrás. —Catalina sonríe y Lucy tiene que contenerse para no interrumpirla. La verdad es que no era exactamente así—. Es tan difícil de imaginar toda tu mente guardada en la nube.

—Pues una película es lo más sencillo de decir, pero era más que eso. Como las cámaras de realidad virtual. Tú sabes que no estás allí, pero a la vez puedes ver, probar, experimentar… Pero hay como una serie de sucesos predeterminados. Por ejemplo, veo el recuerdo de una amiga en Bangkok cuando visitó el restaurante de última moda, puedo ver todo el lugar, puedo oír la música, pero no puedo comer y probar más que lo que ella come. Nunca sabré cómo sabe lo que pidieron las demás personas de la mesa si ella no lo prueba. Por eso comenzó a estar de moda dejar de pedir platos individuales. Si ibas a subir el recuerdo a la nube, necesitaba tener la mayor diversidad de sensaciones posibles. Esos eran los recuerdos que tenían más seguidores, que más se transmitían.

Quisiera explicarlo mejor, pero hay cosas difíciles de expresar. Por ejemplo, la facilidad con la que se inmiscuyó en todas las áreas de su existencia. La primera vez que alguien le pidió a su mamá un resumen de su perfilador, Lucy tenía diez años. Era parte del papeleo de un préstamo para pagar las cuentas del hospital cuando se rompió el tobillo al trepar un árbol. En la escuela, a los doce años, cuando salió por primera vez con un chico, su mejor amiga, que sabía más de esas cosas, le aseguró en un susurro conspirador durante el recreo, que cuando un chico te enviaba un pensamiento a través de la nube, le gustabas en serio.

Después, a los quince años, el momento de compartir una pequeña esquina de tu perfil con alguien era un asunto tan importante y calculado como el primer beso. En ese entonces, apenas eran pulsos, pero podías acompañar a alguien durante el tiempo de perfilación y de alguna manera revivir tu día con esa persona. Tanto que Lucy recuerda mejor la primera noche que compartió con un hombre mientras se perfilaban. Semanas después, tuvo sexo con él por primera vez, pero esa comunicación de mentes fue más íntima. A pesar de que la tecnología todavía era muy burda y la resolución realmente dejaba mucho que desear, a la mañana siguiente podían terminar las frases del otro y no pararon de mencionar lo que habían visto en sueños como si hablarlo pudiera hacer que durara más.

—Sin la nube, probablemente la tecnología no se hubiera salido de control.

Lucy hace una mueca. Catalina repite las mismas críticas que escuchó toda su vida, pero que ahora suenan como te-lo-dijes generalizados. Lucy trata de no enfocarse en eso porque entiende la curiosidad y recelo de su compañera. Si ella no lo hubiera vivido y solo hubiera visto las consecuencias...

—Es difícil saberlo. Creo que era el paso más lógico. Una vez que podías ver tus recuerdos, ¿por qué no compartirlos?

—No sé. Era como si dijeras que algunas vidas eran más importantes, más dignas de verse y vivirse. Y luego toda esa gente que intentaba tener vidas interesantes solo para que las vieran los demás.

—Admito que pasaban esas cosas, pero no todo era así. Esa no era la idea, ni por qué lo hacíamos. No era por qué lo hacía yo —dice Lucy, no le gusta la sensación de que debe defenderse—. Al principio compartir recuerdos era transmitir sensaciones más que imágenes. No podías controlar cómo recibía el otro la información ni con qué calidad. Además, solo podías compartir contenido al dormir y se sentía como soñar el mismo sueño con alguien más. Pero la nube lo cambió todo, pero para mí era sencillamente la posibilidad de tanto conocimiento, tantas cosas nuevas que jamás experimentaría de otra forma. Era una fantasía que muchos creímos real. Pero nadie me quita que oí el último concierto de mi banda favorita. Y también he visitado Venecia, he comido el mejor sushi del mundo, he sentido lo que mis novios sentían cuando estábamos juntos. Había algo bonito en eso. En poder saber, realmente saber, cómo sienten los demás.

—¿Y no le quitaba misterio a las cosas?

—Yo prefiero eso a no saber.

La primera vez que Lucy se conectó, se había mareado porque el entrar al cubo mentalmente como si se tratara de una extensión de su mente todavía no se había convertido en un reflejo. Era un síntoma usual que se quitaba con la práctica. Había que aprender a manejarla, a crear un perfil en el que pudieras moverte sin confusión e, incluso, a ver los perfiles públicos de los demás. Sin embargo, tras algunos intentos uno se acostumbraba a acceder a toda información y estímulos disponibles.

—Estaba en la prepa la primera vez que me conecté, así que tal vez tenía unos dieciséis. Hubieras visto mi perfilador entonces. Lo tenía lleno de calcomanías y lo llevaba en esta bolsita que colgaba de la muñeca. ¿Las recuerdas? Se veían ridículas.

—Las vi solo en revistas. ¿Sabes que cuando llegué a la universidad nunca había visto uno? Mi compañera de apartamento tenía uno. No vivimos juntas mucho tiempo, solo el primer año. Nunca supe cómo entablar una conversación con ella. A veces sentía que no me veía. Se la pasaba sentada en el sillón de la sala mirando al vacío. Y nunca teníamos nada de qué hablar.

Tengo que admitir que al principio no sabía si mudarme contigo. Mi padre estaba muy en contra, pero… la nube ya estaba en desuso y parecías desesperada por una existencia real.

—Mi mamá creyó siempre que serías una influencia positiva —dijo Lucy—. Antes me la pasaba en mi casa, conectada.

Catalina se ríe. Comen en silencio un momento. Lucy considera por primera vez cómo se habría visto desde afuera todo el tiempo que pasó en la nube durante la universidad. Iba de vez en cuando a fiestas y a bares, pero la mayor parte del tiempo solo iba a clases y se la pasaba en casa conectada al perfilador, donde podía con un pensamiento encontrarse de pronto con los recuerdos de familiares y amigos, algunos que conocía en la realidad y otros que vivían del otro lado del mundo.

Si cerraba los ojos, podía experimentar lo que alguien más había vivido como si hubiera estado allí. Esa playa desierta en Vietnam, donde aquella amiga europea pasó la noche observando la Vía Láctea; a pesar de no haber estado allí, a pesar de que la nube ya no existe, puede recordar el sonido del mar, del viento caliente entre las palmeras, ver las estrellas, sentir la arena blanca entre los dedos. Recuerda la comida casera de su amiga china. Sobre todo aquel festín cuando ella se graduó. Quince platos, más bebida, más música. Todo en chino, incomprensible, pero el sabor del pato laqueado aún la asalta de vez en cuando.

Y aquel concierto del que le había hablado a Catalina. El último concierto de los Bette Davis antes de que el baterista muriera de sobredosis. Había rastreado por toda la nube a alguien que hubiera estado presente en el recinto de un pueblo perdido en Argentina y había pagado una suma considerable por aquel recuerdo, pero había valido la pena. La piel se le puso chinita con las últimas notas de su canción favorita. Había estado en su cuarto sola, pero eso no había impedido que llorara como si hubiera estado allí.

A Lucy no le sorprende que la compañera de Catalina pasara tanto tiempo en el sillón sin decir palabra, ella hacía lo mismo. La nube era una experiencia sensorial completa y a pesar de que ya no vive en ella, todos los recuerdos que experimentó, siguen siendo suyos. Diría sin rechistar que ha probado pato laqueado o que ha visto la Vía Láctea. Es cierto que después aprendió que los recuerdos no eran tan nítidos, la resolución no era tan buena como todos pensaban. Vivir a través de la nube era como vivir con un velo sobre los sentidos. Pero en ese momento no importaba. Le importa ahora, que sabe la diferencia.

–Yo llegué a ese nivel el día que aprendí cómo subir contenido sin que mi mamá se diera cuenta porque revisaba obsesivamente mi perfil. Dos veces al día, por la mañana y por la noche. Siempre me dijo que tuviera cuidado con lo que ponía, que no fuera demasiado personal, que no diera mi ubicación exacta. Ya sabes, todos esos detalles. Pero... No sé si sabes esto, pero había esta regla no escrita en la nube de que se compartía de forma recíproca.

–Pero... ¿compartirlo todo?

Lucy reconoce el tono de la pregunta y se sonroja enseguida. Es natural que Catalina tenga curiosidad, pero la sonrisa pícara y cómo parece aguantarse la risa, le dice a Lucy que ya sabe la respuesta. Así que se toma su tiempo para avanzar con su comida. Catalina ya ha terminado, así que aprovecha la pausa para levantarse y comenzar a mover los platos al fregadero.

–Me da vergüenza contigo –dice Lucy por fin.

–¿Por qué?

Algunos mechones rozan la nariz de Catalina mientras se inclina a lavar, así que vuelve a recogerse el cabello, a pesar de que ya tiene las manos mojadas y llenas de jabón.

–Tú sabes por qué. –Catalina lanza una risa y Lucy se siente enrojecer–. Seguro has escuchado todas las anécdotas de cómo no había privacidad y todas nuestras vidas estaban a disposición de quien quisiera mirarlas, pero no era así. Yo compartí de todo, pero elegía con quién y cómo. Por eso me da pena contarte. Sabes perfectamente qué se esperaba en una relación entonces. Solo me estás haciendo sufrir.

—Un poquito sí.

Lucy suspira. Era normal que tu pareja tuviera acceso libre a tu nube, que supiera todo lo que pensabas, que pudieras verte a través de sus ojos en los momentos importantes. Lucy recuerda cómo se había sentido Alan al besarla la primera vez. Ella conocía ese recuerdo, lo había vivido, pero ahora podía sentirlo a través de él. Con Alan había compartido todo.

—Ya te he dicho que sí. Distintas experiencias con distinta gente, por eso me da pena. Igual con la mayoría era solo alguna sensación o alguna imagen, igual algún pedazo de una fantasía, no sé. Nada tan amplio, pero... ¿Recuerdas a Alan?

—El que se casó, ¿no?

—Sí, ese. Pues nosotros éramos de esos novios que se compartían todo en la nube. Había pocas cosas de mi perfil que él no vio. Teníamos acceso a todo y en el momento, me pareció lo mejor. No había esas peleas mentales porque alguien no quisiera enseñarte algún recuerdo. Desde el principio fue acceso total.

—Suena... demasiado personal —dice Catalina mientras se seca las manos tras cerrar la puerta de la lavadora de platos descompuesta donde ha puesto los platos a secar.

Lucy no contesta porque no quiere entrar en más detalles. ¿Cómo explicarle que podía recordar acariciarlo y saber lo que él sentía? Sin la nube, esos recuerdos se le antojan inverosímiles, pero allí están. Él en su cuarto de la universidad, dormido después del sexo, mientras ella termina un trabajo final; saber que en ese momento él se encontraba tan contento como ella, que sentían prácticamente lo mismo. Era un arma de doble filo porque así como existe ese recuerdo, existen otros. Peleas que eran más complicadas porque él sabía qué pensaba. Se arrojaban la culpa, discutiendo sobre cosas que solo existían en la nube, que tal vez ella hubiera preferido que él no supiera. Pensamientos fugaces, como aquella vez durante el sexo en el que ella pensó en alguien más. Él se enfadó; aunque a él también le pasaba a veces. Como siempre al recordarlo, se siente triste.

—¿Qué pasó cuando cortaron? Cuando yo pienso en cómo me sentiría si terminara con Miguel... Es como mi mejor amigo y lo extrañaría todo el tiempo y eso que nunca ha entrado en mi mente.

Lucy no sabe qué responder. Terminar con Alan la hizo sentirse ajena en su propia mente, donde antes estaba acostumbrada a encontrar a alguien más. Se levanta del banquito y camina para sentarse en el sillón, seguida por Catalina. Apoya la espalda en el brazo y contrae las piernas para que su compañera también pueda sentarse. Así, una mirando a la otra, alumbradas tanto por la luz de la sala como por los faroles afuera, los dedos de los pies a punto de tocarse, Lucy se siente muy lejos de aquella época. ¿Cómo pueden haber pasado solo dos años?

—Es como cuando te acostumbras a dormir junto a alguien. Cuando duermes no estás consciente de que hay otra persona. Pero cuando esa persona no está allí algo te hace falta, su calor, su compañía, sencillamente su presencia... no sé. No me di cuenta de cuánto espacio ocupaba en mi cabeza hasta que ya no estuvo allí. Él me propuso que lo siguiera a la India, ¿sabes? Pero yo quería seguir con mi doctorado y él aunque lo entendía... Yo sé que lo entendía porque tenía acceso a mis recuerdos, a la emoción que me causa mi trabajo. Lo vivía todo conmigo y aun así había algo que se le escapaba. Algo que se me escapaba a mí también. Ese es el verdadero problema de la nube. Siempre pensamos que al compartir las cosas, realmente el otro las experimentaba como nosotros, pero no... Alan podía saber qué sentía yo, pero eso no hacía que me comprendiera mejor. La decisión entre sus sueños y los míos... No había manera de que la relación siguiera.

—Eso es igual en una relación sin la nube —dice Catalina—. Yo tuve un novio que nunca entendió por qué tenía que regresar a casa en las tardes para pintar. Le encantaba oírme hablar de ello, pero ver cómo se inmiscuía en nuestras vidas, lo rebasaba. No creo que ver mis recuerdos hubiera ayudado. Por lo que dices, a pesar de la nube, no era una fusión de mentes. Miguel sí lo entiende y creo que lo haría viendo o sin ver mis recuerdos.

Lucy asiente. Desde que salió de la nube, tuvo que practicar cómo construir una relación sin tener acceso a los pensamientos y recuerdos de la otra persona. Al final, tampoco siente que le haga tanta falta poder entrar a la mente de Catalina para que sean amigas. Hay algo más íntimo en esta conversación, en decir las cosas en voz alta eligiendo qué decir, qué ocultar, que entregarle sus recuerdos de Alan con un solo pensamiento.

—Nunca le había contado esto a nadie, pero la verdad es que me obsesioné con su perfil público —habla mirándose los pies, incapaz de ver a Catalina a la cara—. Entraba todo el tiempo y cuando comenzó a salir con esa otra mujer... Revisaba el perfil que ellos tenían en conjunto todo el tiempo. Había días que vivía más en la vida de ellos que en la mía. Algo enfermizo. Menos mal que la nube se acabó porque si no todavía seguiría allí obsesionada con los vestidos que ella usaba, comparándome todo el tiempo.

Catalina abre los ojos sorprendida.

—Yo sé. Patético, ¿verdad? Pero lo digo en serio. De no ser por el caso Kowalski seguro seguiría en eso. Así que al menos algo bueno salió de todo ese escándalo.

—Eres probablemente la primera persona que oigo decir eso. Catalina le lanza una mirada al reloj en la pared. Ya es tarde. Ambas tienen que levantarse temprano y Lucy todavía tiene cosas que hacer. No puede creer que después de no querer comenzar la conversación, ahora no quiera detenerla. Le lanza una mirada a su bolso, que todavía descansa junto a la puerta.

—¿Quieres abrirla? —pregunta Catalina.

—No. Puede esperar a mañana. Vamos a dormir o no vas a levantarte.

Catalina se desenrosca, se levanta del sillón y camina hacia su cuarto.

—Si cambias de opinión, avísame, tú sabes que tardo un rato en dormir.

Lucy asiente. En su cuarto la cama ocupa la mayor parte del espacio, el edredón de rayas azules, abultado a sus pies, fue un regalo de su mamá, así como las pequeñas almohadas de adorno que se encuentran en el suelo. Hay ropa tirada cerca del clóset y fuera del cesto. Con una mirada al cuarto sabe que ha llegado el momento de lavar y limpiar un poco, pero ya se encargará mañana. Se sienta en la cama y durante la siguiente hora corrige el último examen de sus estudiantes, pero después de la décima vez que uno confunde una cetona con un aldehído, Lucy decide parar y planear una recapitulación para la siguiente clase. Se acuesta e intenta dormir.

Primero le asalta el mismo problema de los últimos dos años. No puede ni siquiera mantener los ojos cerrados porque le hace falta aquel ronroneo. Esta noche más que otras. Por momentos, cuando ya está por dormirse, cree oírlo y eso la despierta. No poder dormir y encontrarse mirando el techo hace que comience a darle vueltas a la conversación en la cena. ¿Habrá dicho demasiado? ¿Serían muy personales los detalles? Solo de imaginarse cómo sería su vida si el caso Kowalski no hubiera salido a la luz, siente un hueco en el estómago.

Es absurdo cómo hay momentos que se quedan en la memoria. Sin el perfilador le cuesta trabajo recordar algunas cosas, le hace falta la inmediatez con la que podía antes regresar a sus recuerdos, pero de ese día, cuando el caso Kowalski explotó, lo recuerda todo. Una llamada de su mamá la despertó a las seis de la mañana, antes de que todos los medios de comunicación se paralizaran en la ciudad. Nadie sabía si había sufrido un desdoblamiento ni cómo averiguarlo; en ese momento ni siquiera existía el término desdoblamiento para hablar de cuando alguien se robaba tu perfil y utilizaba tus recuerdos para crear una identidad falsa.

Todo comenzó en Inglaterra tres meses antes cuando detuvieron a Martin Kowalski al tratar de obtener un seguro. Se le acusó de robo porque su perfil mental estaba en las listas de los más buscados por varias agencias en el mundo, era un milagro que no lo hubieran atrapado antes. Kowalski se declaró inocente desde el principio y consiguió el mejor abogado que podía pagar. Si se hubiera tratado de una persona con menos recursos, tal vez nada hubiera pasado, pero él era un hombre acomodado que podía hacerse oír. Después de muchas averiguaciones, durante las que pasó días en la cárcel y más tarde en arresto domiciliario, fue el uso de su perfil en la venta de una casa en otro país lo que limpió su nombre y aceleró la investigación. Kowalski quedó libre y llevó su caso a los medios.

Lucy recordaba el terror que había sentido a través de la nube al despertar. No había entendido de qué era esa ansiedad hasta la llamada de su mamá. Durante el día la gente se desconectó, abandonó su perfil y, en un momento, perdió contacto con cientos de amigos. Lucy se desconectó por la tarde, tras la tercera conversación con su mamá, quien le rogaba que se saliera de allí y borrara su perfil. Lucy hizo lo primero, pero no lo borró hasta meses después. Hasta ahora vivió con miedo de recibir una carta azul, la forma en que la Secretaría de Análisis de Nube y Perfil Mental da a conocer un desdoblamiento. Las nuevas regulaciones estipulan que, de sufrir uno, el usuario tiene que entrar a la nube, reactivar su perfil y presentarlo ante un juez con pruebas de que se trata efectivamente de recuerdos propios. Hay diversos tipos de pruebas, desde citatorios a testigos que puedan presentar recuerdos similares compartidos o documentos como boletos de avión y certificados de estudio que sustenten los contenidos del perfil.

Dos años atrás, conforme más casos aparecieron, más claro quedó que no eran sucesos aislados. Probablemente existía desde hacía mucho tiempo un mercado negro de recuerdos e identidades. Algunos casos comunes eran los extranjeros que deseaban instalarse en un país y necesitaban una identidad para conseguir papeles o un perfil hecho a través de múltiples recuerdos para pedir un préstamo en un banco y luego desaparecer.

Lucy sufrió de insomnio por meses, moviéndose en la cama sin saber cómo acomodarse, tratando de acceder a otros perfiles y encontrando que les faltaba siempre la inmediatez de la nube, de verlos, oírlos y volver a experimentarlos. No podía acostumbrarse a sus pensamientos y a vivir solo con sus recuerdos, sin acceso a los de todos los demás. Comenzó a buscar desesperadamente los lugares donde nunca había estado, pero había visitado en otras mentes y a probar comida u oír música por sí misma para descubrir que ella percibía las cosas de forma distinta. No solo tenía un peor sentido del gusto que el de aquel amigo chef sino que además, por primera vez, se percató de que sufría de una ligera miopía.

Por milésima vez se da la vuelta, acomoda su almohada, revisa su alarma, se levanta, camina por el cuarto. No puede quedarse quieta. Sale, cruza el pequeño pasillo sin encender la luz. Piensa de pronto que si ya puede caminar sin luz es porque lleva mucho tiempo viviendo allí. Llega hasta la cocina. La luz de los faroles ilumina el sillón. Sobre la barra, todavía está la bolsa de terciopelo. Con cuidado se sienta y la abre. Entre las sombras distingue el contorno del perfilador, bajo los dedos la superficie suave, de plástico ABS, le es completamente familiar. Ya no es un cubo, sino un pequeño cilindro, con un cable delgadísimo atado alrededor. No puede verlo entre las sombras, pero sabe que es de color negro, mate, como estaban de moda el verano en que lo compró. Su relación con Alan estaba por terminar, pero aun así, en un acto desesperado compraron el mismo modelo. Como si algo así fuera a ayudar. Levanta la mirada hacia la puerta, donde su bolsa con el sobre azul todavía la espera. Catalina tiene razón. Mejor terminar con ese martirio de una vez y ver qué dice la carta. Voltea la bolsa y se sienta en el suelo. Toma el sobre y respira profundamente. De un tirón lo abre. La luz amarilla del viejo foco hace que el papel se vea más antiguo. Hace dos años jamás habría pensado que alguien enviaría cartas de nuevo.

Escanea el documento una vez. No ha sufrido un desdoblamiento. En seguida, respira más tranquila, pero cuando llega al final de la carta, le queda claro que tampoco son buenas noticias. En las manos tiene un citatorio para testificar frente al tribunal. Y mierda, porque conforme entiende las implicaciones de la carta, comienza a sonrojarse. Alan sufrió un desdoblamiento. Apoya la cabeza en las manos. Mierda. Por la mañana tendrá que llamar a su mamá.

El colapso de estados superpuestos

La materia es todo lo que tiene volumen y masa, todo lo que ocupa un espacio, pero con un ansible no hay transmisión de materia, solo una ilusión de cercanía y, a veces, las ilusiones se desbaratan.

* * *

La gente que dedica su vida a la exploración interespacial desarrolla manías. Es normal, nada por lo que uno deba preocuparse. Yo necesito hablar con Kon cada vez que llego o salgo de un planeta. Él es la única parte de mi vida que permanece estable mientras viajo hacia los confines de la galaxia. Mientras recorro los pasillos del asentamiento hacia mi habitación pienso que la última vez que hablé con él fue hace cuatro meses, antes de embarcarme en criogenia hacia el planeta V17-B.

Esa noche lo llamé después de recibir el reporte de mi nuevo proyecto. Los pronósticos eran un desastre y desde los primeros resultados supe que, para cuando aterrizara, el proyecto ya tendría un retraso de semanas. No tenía tiempo para mandar una respuesta, así que tomé el ansible y llamé a Kon para desahogar mi frustración.

—Son unos ineptos. Tienen mucha suerte de que terminara antes de tiempo aquí —le dije en cuanto la imagen del ansible se estabilizó. Kon apareció en la mitad de mi sala, me sonrió, claramente entretenido por mi falta de saludo, y se sentó. El sillón rojo se materializó debajo de él.

—Buenos días para ti. O buenas noches, supongo —me dijo—. Tengo noticias, pero parece que estás en crisis. ¿Planeas dormir antes del viaje?

—Voy a dormir por varios meses. Qué desastre. ¿A nadie se le ocurrió tomar en cuenta los niveles de oxígeno al diseñar la clorofila?

La atmósfera de V17-B está sobreenriquecida para aumentar la formación de minerales como euxenita y xenotima, que facilitarán la extracción del erbio abundante en el planeta. La terraformación del planeta acaba de terminar y los niveles de oxígeno no están fijos, pero a nadie se le ocurrió tomarlos en cuenta, a pesar de que interferirán con el crecimiento de las plantas necesarias para alimentar a la futura población. Mi trabajo en el planeta es asegurarme de que la producción de alimento fuera suficiente para todos los habitantes que se esperaban en la colonia.

—Calma. Estoy seguro de que podrás solucionarlo cuando llegues allí. ¿Tienes alguna idea de cuál es el problema?

A pesar de que él había tomado solo una clase de física en la Academia, diecisiete años de conversaciones le habían dado las herramientas para entenderme cuando quería desahogarme. La biología cuántica no es tan difícil si no tienes que lidiar con las matemáticas, solo entender los efectos.

—Creo que podría ser la constante de entrelazamiento electrónico de la clorofila. Voy a tener que cambiar la estructura de las células, pero no lo sabré hasta ver los resultados *in situ*.

—El problema siempre es el entrelazamiento. Deberíamos deshacernos de él. Ya sabes qué pensaba Einstein.

La broma me hizo sonreír. Me siento orgullosa cada vez que puede hacer un chiste científico, incluso cuando son malos.

—No metas a Einstein en esto. Él habría pensado que los ansibles eran imposibles y si hubiera tenido razón, no podríamos hablar.

Estaba cansada, pero en ese momento noté que él también se veía cansado. Eso era extraño. ¿Estaría trabajando demasiado? ¿Qué hora sería en su planeta? Se me había olvidado revisar antes de llamarlo.

—Podemos discutir sobre Einstein mañana —dijo leyendo mi pensamiento—. Deberías tratar de dormir algunas horas. No quieres colapsar.

Tenía razón, pero sentía la aceleración proveniente de nuevas ideas a las que no puedes parar de darles vueltas. Lo único que quería era seguir hablando.

—En un momento. Cuéntame qué pasó con tu artículo.

—Esta es la razón por la que nunca duermes lo suficiente —levantó las piernas y las apoyó en una mesa, que apareció junto con el movimiento—. Para no hacerte la historia larga, lo aceptaron, pero siguen sin entender a qué me refiero cuando hablo de una nueva aproximación a la pragmática. Ah, sí —movió las manos frente a él como si alguien acabara de decirle algo fuera de foco—, antes de que se me olvide otra vez. Tengo algo que contarte. Linna está embarazada. Casi seis meses ya.

El silencio antes de mi felicitación duró demasiado y él debió de notar mi vacilación aunque no dijera nada.

—Supongo que por fin vas a poder estudiar cómo los niños aprenden el idioma cuando están en constante movimiento por un sistema planetario —dije tratando de regresar al tono de humor que había antes.

Funcionó y él se rio.

—Linna odiaría que tratara a nuestro bebé como un experimento. Le voy a decir que lo propusiste. Va a decir que todo lo ves científicamente.

—¿Hay otra forma?

Él cayó en la provocación y en lugar de terminar la llamada, comenzamos a discutir un tema usual para nosotros: ¿afectaba la comprobación de una teoría científica de alguna forma la experiencia cotidiana? De pie en mi habitación esperando que la cafetera funcione, me siento intranquila al recordar la conversación.

Han pasado veinte horas desde que aterricé en V17-B y esta es la primera vez que pongo pie en mi habitación. Comienzo a sentir que he pasado demasiado tiempo sin hablar con Kon. Para mí no ha pasado ni un día, pero para él han sido varios meses. En el tiempo que yo dormía él ya es padre, ya habrá terminado un nuevo artículo. Nunca antes he sentido con tanto peso la distancia temporal entre nosotros.

Me sirvo el café mientras espero que la llamada conecte. Los invernaderos del asentamiento no están funcionando y los primeros retoños muestran una deficiencia energética crítica. Después de muchos experimentos, estoy segura de que el problema está en la estructura de la clorofila, pero no sé mucho más. Voy a tener que desplantar la cosecha de prueba y producir una nueva en las siguientes cuarenta y ocho horas. Por ahora dejé el espectrógrafo de transición corriendo y eso me dará suficiente tiempo para tomar una siesta, bañarme, desayunar y volver al laboratorio.

El ansible parpadea algunas veces, pero la imagen desaparece. Me masajeo la nuca, todos los nudos no son una sorpresa, no llevo ni treinta horas fuera de criogenia, por supuesto que estoy engarrotada. Debería dormir, pero vuelvo a llamar y de nuevo no hay conexión. Miro el ansible en el suelo a la mitad de la habitación. ¿Estará todo bien? Kon siempre contesta mi llamada.

Con resignación y un mal presentimiento en el estómago, decido dormir la siesta e intentarlo de nuevo más tarde.

* * *

En la Academia, me obsesionaba el principio de exclusión de Pauli: dos objetos sólidos no pueden ocupar el mismo espacio al mismo tiempo. El principio proviene del mundo cuántico y muestra que dos o más partículas idénticas no pueden presentar simultáneamente el mismo estado dentro de un sistema cuántico. Por esto, al cambiar la estructura del cromóforo en la clorofila, la naturaleza contraria pero complementaria del par de electrones debe preservarse. Esto es importante. La conexión entre electrones opuestos es la base del entrelazamiento cuántico, que genera la ilusión de comunicación gracias a la cual funciona el ansible.

* * *

Me despierto a la media hora por culpa de los meses en criogenia y me cuesta recuperar el sueño porque mis pensamientos se aceleran hasta que me vibra la cabeza. Es normal que Kon no haya contestado. Con un nuevo bebé en la casa es normal que no esté pendiente de su ansible.

Como no puedo dormir, regreso al laboratorio y descubro que los parámetros que coloqué la noche anterior estaban mal y que la máquina ha realizado el mismo experimento en círculos. Qué pérdida de tiempo.

Reinicio los experimentos y, mientras espero, quito la cosecha del invernadero y preparo el suelo para plantar una nueva en el momento que termine la duplicación. El laboratorio tiene luz artificial, no hay ventanas ni relojes, pero calculo que son las cinco de la mañana. Nadie me interrumpirá hasta dentro de varias horas. Debería aprovechar para dormir, pero llevamos tantos meses de retraso que no puedo esperar, los invernaderos tienen que funcionar apropiadamente antes de que llegue el resto de la colonia. Se esperan quinientos habitantes en algunos meses y van a necesitar comida.

No sé cuánto tiempo pasa antes de que un chico se asome. Me pregunta si quiero comer algo y cuando regresa con una bandeja, le pido que ponga el cartel de no entrar en la puerta. Necesito evitar toda distracción, ya habrá tiempo de socializar cuando haya arreglado el problema. Tomo una siesta en el sillón de la pequeña oficina y cuando despierto los resultados están listos. Como sospechaba, el par de electrones entrelazados en la clorofila es incapaz de generar los niveles energéticos necesarios. Me toma algunas horas proponer una nueva estructura para el cromóforo y entonces el siguiente paso es modificar el ADN.

Hago una pausa para llamar a Kon. Pongo el ansible sobre la tierra recién removida a la mitad del invernadero porque es el único lugar donde él tendrá un rango amplio de movimiento. Hay un parpadeo y contesta. Su calvicie ha aumentado desde la última vez que nos vimos. ¿Cuánto tiempo ha pasado para él mientras yo viajaba? Cuatro meses para mí, puede ser mucho más tiempo para él. Siempre olvido tomar en cuenta los retardos temporales.

—Dos seg... Yo... Ho... ¿Có...?

Está hablando con alguien fuera del foco, pero las palabras se pierden entre la interferencia.

—¿Kon? ¿Me oyes? —le digo y su imagen parpadea, se distorsiona. Algunas veces, la primera llamada desde un nuevo planeta presenta problemas de conexión, pero nunca me había pasado algo así. Ni siquiera sé si él puede verme.

—... invita... bebé...

—Ya llegué al nuevo planeta. ¿Puedes oírme? Solo quería hablar...

Intento mirarlo a los ojos, pero la imagen vibra y es imposible.

—...amo desp...

Desaparece.

Regreso al laboratorio. Estoy temblando, como si el ansible me hubiera contagiado la distorsión de la imagen. Cierro los ojos y respiro profundamente. Ya llamará. Todo va a estar bien.

Cuatro horas después, regreso a mi cuarto para bañarme y hacerme un café. Logré modificar el ADN y lo introduje al plásmido. Dejo el ansible en mi cuarto, encendido por si Kon me llama y regreso al laboratorio. Tengo que introducir el plásmido en la bacteria que modificará el ADN de las plantas. Cuando termino, Kon todavía no ha llamado.

* * *

La mecánica cuántica no debe aplicarse a los sistemas macroscópicos ni a las relaciones sociales, pero si pienso que Kon y yo somos partículas entrelazadas me es más fácil entender nuestra amistad. Giramos en direcciones contrarias, no solo en el espacio, también en la vida. Él se casó con Linna justo cuando yo rompí mi relación con el director del laboratorio donde trabajaba. Comencé a aceptar proyectos que me alejaban cada vez más del sistema solar cuando él decidió asentarse en un sistema planetario céntrico. Nuestras vidas son dos rectas que se cruzaron una vez y que se separan para nunca encontrarse de nuevo.

* * *

Sé el segundo exacto en el que comenzó el entrelazamiento entre Kon y yo. Estábamos tomándonos una cerveza, yo sentada en el suelo de mi cuarto ya vacío, él en el sillón rojo que había venido a recoger. Nuestra graduación había sido dos días antes y en doce horas yo tomaría mi primer transbordador hacia otro planeta. Kon había venido a despedirse y ayudarme a empacar. Su primer viaje estaba programado para una semana más tarde, pero solo se movería un sistema planetario, mientras que yo pasaría por un periodo de criogenia en una nave de investigación donde no había espacio para el sillón.

—¿Cómo te sientes? Hablando en serio.

No contesté enseguida. Fijé la vista en el techo sin saber cómo explicar mis sentimientos. Nos habíamos hecho amigos desde los días de orientación en la Academia y, en los dos años que tomaba adquirir todas las habilidades y conocimientos necesarios para la exploración espacial, él me había visto llorar de frustración más que ninguna otra persona en mi vida. Nuestro entrenamiento había sido más intenso de lo que había imaginado, pero ya había terminado y después de dos años de verlo todos los días, no nos encontraríamos de nuevo. Las probabilidades de volver a ver a cualquiera de mis compañeros eran mínimas.

—Abrumada. No dejo de pensar en el discurso de graduación. Siento que voy a colapsar enseguida y no voy a aguantar más de dos puestos.

—Eso no va a pasar —dijo él. Bebió un poco de cerveza y se levantó—. El punto es mantener una conexión humana.

—¿Y con quién voy a hablar? ¿Mis padres? Apenas he hablado con ellos más de dos veces desde que llegué aquí.

Kon cruzó el cuarto y tomó su mochila que había dejado junto a la puerta. Quería decirle lo mucho que me asustaba el aislamiento interestelar y cómo el discurso del director de la Academia en el que habló de todas las precauciones para prevenir un colapso solo me había hecho sentir más sola y me había causado un ataque de pánico, pero a la vez no quería decirlo en voz alta y hacerlo real.

—Tienes un ansible, ¿verdad? —me preguntó.

De su mochila sacó su propio ansible y una base de metal pulido como un espejo. Los puso en el suelo y me hizo un gesto para que le pasara el mío.

—¿Vas a conectarlos?

Sin esperar una respuesta, me levanté y busqué entre mi equipaje el dispositivo sin usar, sin conectar a ningún otro, que mis padres me habían regalado para mi cumpleaños.

—Sí. Oíste al director: estamos eligiendo el peligro del movimiento perpetuo y bla bla. La cura para el aislamiento interestelar es el contacto humano, ¿verdad? Bueno, yo seré tu anclaje si tú eres el mío.

Dejé de buscar mi ansible, levanté la mirada y encontré sus ojos. Y allí, justo en ese momento, hubo un cambio. Antes de ese segundo, nos separaríamos para no volver a vernos sin posibilidades para continuar nuestra amistad, pero en esa mirada de repente encontré entendimiento. Una promesa. Así comienza el entrelazamiento.

* * *

No hablamos de su matrimonio, de los amigos que he hecho en otros planetas y que nunca volveré a ver, de lo difícil que es decir adiós. No hablamos de los síntomas del aislamiento interestelar que tengo: el insomnio, los temblores, el mareo temporal por el que algunas veces no sé qué año es y pienso que estoy todavía en la Academia o en casa de mis padres o en un planeta hace cuatro proyectos. Hablamos del trabajo, pero no del hecho de que hace ya varios puestos que la pequeña posibilidad de volver a vernos desapareció del todo. No hablamos de cómo él está envejeciendo y de que el tiempo nos toca distinto: él tiene casi cuarenta años, una esposa, una hija, mientras yo soy menor de treinta y cinco y continúo moviéndome por la galaxia en sueño criogénico. No hablamos de la distancia, porque así la ilusión no colapsa y todas las probabilidades existen, todos los escenarios son igual de posibles, incluso aquel en el que Kon realmente está allí.

* * *

Tres comidas y dos siestas después, las nuevas semillas están listas para plantarse y pasar por un ciclo de crecimiento acelerado. Desde la mesa del laboratorio observo la tierra recién removida. Hasta dentro de doce horas no tendré ningún resultado, pero siento que el cromóforo va a fallar de nuevo, que hay algo en esta nueva cosecha que no he pensado bien.

Reviso mis cálculos, pero cuanto más veo los números, menos sentido les encuentro. Desearía poder solo señalar los dos electrones que necesito y que se entrelazaran, así todo sería mucho más sencillo. O si pudiera medir el entrelazamiento que ya tengo, si hubiera algún cociente capaz de decirme si he elegido bien las partículas sin pasar por todo el proceso. Reviso los cálculos de nuevo, pero la pantalla está borrosa. Estiro los dedos porque siento un cosquilleo extraño en la punta.

¿Qué hora será? ¿Cuándo comí por última vez? Me duele un poco la cabeza, pero no tengo ganas de dormir. Debe ser por la tarde. Vuelvo a ver la pantalla. ¿Qué estaba pensando? La medición de alguno de los dos electrones en el par podría destruir el entrelazamiento. Lo sé. Es algo que he sabido desde la Academia. ¿Cuándo fue la última vez que comí? Las manos me tiemblan. Las letras en la pantalla vibran igual que vibraba la imagen de Kon hace… ¿cuántas horas han pasado? ¿Dónde dejé el ansible?

Necesito hablar con Kon. Busco el ansible debajo de la mesa, en todos los cajones, en la oficina, salgo al invernadero y remuevo la tierra. Lo usé aquí por última vez, ¿verdad? ¿Dónde lo dejé? De nuevo siento como si la interferencia se me hubiera metido dentro, como si me temblara el cuerpo con tal violencia que comienzo a desmoronarme, molécula a molécula, átomo a átomo. Respira, pienso, no pasa nada. Vas a encontrar el ansible. Todo va a estar bien, pero la piel me tiembla y cuando miro mis manos, se ven desenfocadas. Cierro los ojos. Algo está mal. ¿Cuáles eran los pasos para protegerme del aislamiento? Primero, llama a tu anclaje. No. Ese recurso está fuera de mi alcance. Segundo, haz una lista de las cosas que sabes: estoy en V17-B, acabo de plantar una nueva cosecha, aterricé hace... ¿qué hora es? ¿Cuándo fue la última vez que hablé con alguien? ¿Cuánto hace que no como?

No, calma, respira. Tercero, concéntrate en algo familiar: los nombres de tus padres, por ejemplo. ¿Cuándo hablé con ellos por última vez? Tal vez cuando pasé el examen de termodinámica. No, eso fue hace meses, no, fue hace más tiempo, estaba en otro planeta, viajé a este para encargarme de la cosecha, hablé con Kon —no, no logré hablar con Kon. Solo lo vi un momento, la calvicie, el bebé, Linna—. ¿Dónde dejé el ansible?

Me desintegro, pierdo materialidad, un segundo estoy completa y al siguiente no siento mis manos o mis piernas. ¿Dónde estoy? Respira. Concéntrate en el aquí: las luces incandescentes, la suave neblina que mantiene el nivel de humedad constante, las ventanas del laboratorio, la tierra fría contra mi mejilla. Respira profundo. De repente me doy cuenta de que estoy acostada en posición fetal, mis brazos alrededor de mis rodillas. Cuento mis respiraciones, tratando de acomodar mis recuerdos y evitar desmoronarme.

Cuarto, enlista lo que conoces. En orden cronológico. El sistema solar. Mis padres. Años de clases para alcanzar las calificaciones para entrar a la Academia. El primer viaje interespacial. Dos años en un asteroide. Kon. Más viajes en criogenia. ¿Cuántos puestos? No. Kon. Él es el centro, él prometió ser el centro, pero ¿cómo puede serlo si su vida tiene tantos otros centros, si soy, cada vez más, una partícula en la periferia? No, no pienses en partículas. Respira. Quinto, elige un recuerdo. Sostenlo, no lo dejes ir.

* * *

Es una escena familiar, casi cliché: dos amigos tomando una cerveza hablan sobre la vida. No sé de qué estamos hablando, solo que es importante, significativo. Kon dice que estas horas de interacción antes de volver cada quien a su vida son un ritual social que se encuentra en todos los asentamientos humanos sin importar el lugar en la galaxia. Me dice que así es como los humanos detienen el tiempo: lo pasan con una persona con la que no tienen que explicarse. Kon está siendo Kon. Está convencido de que el comportamiento social se repite, que hay un número finito de interacciones que reaparecen una y otra vez. No me convence y se lo digo, pero él ya sabe que mi idea de las interacciones sociales es que no son lineales o deterministas, sino que tienen un comportamiento cuántico. Le damos la vuelta una y otra vez a lo mismo, discutiendo esta rama ridícula de física social que hemos inventado juntos, ¿o no? ¿De qué estamos hablando en realidad? Siento que vamos en círculos, regresando al comienzo de la conversación siempre en el mismo momento: me levanto y camino hacia donde está para ofrecerle otra cerveza, extiendo mi mano para tocarlo y antes de que pueda hacerlo, el círculo se cierra y volvemos al principio.

* * *

Einstein describió los efectos del entrelazamiento cuántico como una espeluznante acción espectral a distancia. Pero, ¿no es toda conexión con otra persona una acción espeluznante a distancia? Comunicamos estímulos que se procesan, se pierden, se reencuentran y se interpretan. Kon rechazaría estas hipótesis de inmediato. Diría que la sociología cuántica no existe más allá de mi necesidad por catalogar toda experiencia en términos físicos. Pero, algunas veces, es la única manera en la que el mundo tiene sentido.

* * *

Despierto en mi habitación. Nadie sabe cuántas horas pasé inconsciente en el laboratorio hasta que me encontraron. El doctor me explica, mientras me toma la presión, que no fue un colapso, solo un pequeño episodio debido al cansancio. Es joven, probablemente acaba de terminar su residencia, pero es el único doctor en todo el asentamiento. Me recomienda que descanse. El cuerpo no puede aguantar ir de varios meses en criogenia a trabajar con menos de cuatro horas de sueño por varios días. Me pregunta si quiero llamar a alguien, pero como no puedo comunicarme con Kon, no sé a quién más llamar. Trato de explicarle que no sé dónde dejé el ansible y el miedo de que el entrelazamiento sufrió una modificación, que se esté desarmando. Hay una disonancia entre nuestras funciones de onda que me está afectando. ¿Qué me va a pasar si la próxima vez que hablemos nuestra función de onda colapsa? Pero el doctor, que no entiende mi miedo, me ordena dormir.

No sé cuánto tiempo paso en cama, ya no me estoy desmoronando, pero no puedo dejar de pensar en mi trabajo, en las plantas que están creciendo en el laboratorio, mientras estoy aquí encerrada. Entro y salgo de un sueño intranquilo, pero no siento que mi mente se detenga. Pienso en los datos de todas las plantas que debo modificar, trigo primero, no maíz, no mejor cebada; las cadenas de ADN flotan frente a mis ojos, pero no sé cómo modificarlas y entonces pienso en las pobres bacterias que dejé muriendo en el laboratorio. Trato de levantarme para ayudarlas, pero entonces Kon aparece en el cuarto: se ve más viejo que la última vez que hablamos, puedo distinguir las primeras arrugas alrededor de sus ojos y me pregunta qué me pasa. Le digo que no encuentro el ansible, que tengo que ir al laboratorio, que mi asesor en la Academia está esperando resultados. Kon dice algo sobre llamar a un doctor, pero me distrae el pensamiento de los electrones entrelazados de la clorofila, que se desparraman por el suelo de mi cuarto y cuando trato de levantarlos, se me escapan entre los dedos. Kon me dice que vuelva a la cama y le grito que no puede ordenarme nada si no va a contestar mis llamadas, que desaparezca.

—Estás diciendo locuras —me dice.

Dejo de buscar los electrones y lo veo con rabia.

—¿Locuras? Claro, cuando colapso sí apareces. Traté de llamarte, pero dio igual. ¿Qué te importa si colapso? No estás aquí. ¿Qué clase de anclaje seríamos si no podemos estar allí en los momentos importantes? Tuviste un bebé y estás haciéndote viejo y un día te vas a morir y luego, ¿qué?

Kon no contesta, solo aleja la mirada y su gesto me atraviesa como un témpano. Él sabe que digo la verdad: me prometió estar aquí, ser mi anclaje, pero esa es una promesa que no podrá cumplir. Comienzo a gritar que se vaya, que no me busque, que quiero hablar con el verdadero Kon, pero cuando obedece, me arrepiento. Me meto en la cama, le digo que vuelva y paso horas, días, tanto tiempo, pidiendo que vuelva, hasta que comienzan los golpes en la puerta. Me escondo debajo de las cobijas.

Entonces fuerzan la puerta del cuarto. Brazos me sacan de entre las cobijas, me detienen, me obligan a abrir la boca y tragar algo. Poco a poco me siento más lenta, menos enfurecida. Reconozco al doctor, que me dice que duerma.

Pido el ansible. Si logro llamar a Kon, todo estará bien. Le preguntaré por Linna, me preguntará sobre mis plantas, hablaremos y todo volverá a la normalidad. Le diré que me alegro por su bebé, pero que me da miedo cómo crece el desfase en nuestras vidas. El medicamento me aletarga, me doy la vuelta. El doctor ya no está. Antes de dormir noto que el ansible está sobre la mesita de noche.

* * *

El colapso de estados cuánticos es uno de los dos procesos por los que los sistemas cuánticos evolucionan en el tiempo. Con la superposición, a través de la medición, una infinidad de probabilidades se reducen a una sola. Se obtienen una posición y momento específicos. Se toma una decisión, una acción. Resulta en un cambio.

* * *

Estoy sentada en el suelo del cuarto rodeada de la información de cada una de las plantas en la cosecha que diseñé. Todas murieron durante el episodio, pero al menos quedó información para analizar ahora que me han dado de alta. No fue un caso agudo de aislamiento interestelar, solo uno más de los síntomas, una advertencia de lo que vendrá algún día.

Las últimas pruebas muestran que la eficiencia energética aumentó, pero no lo suficiente. El cociente todavía está muy por debajo de las necesidades calóricas de la población. Tengo el cerebro nublado por la medicina, así que no intento hacer los cálculos en este momento.

El ansible se encuentra todavía sobre la mesita de noche, donde ha estado desde que desperté. Tengo que llamar a Kon. Lo he estado evitando, se me confunden los recuerdos, las fantasías y los sueños que apenas terminaron la noche anterior y a pesar de que imaginé su presencia, siento vergüenza por lo que le dije.

Tomo el ansible, lo coloco sobre todos mis papeles y me siento enfrente, dispuesta a esperar, pero Kon responde de inmediato. No se ha materializado cuando su voz ya está retumbando por el apartamento:

—¡Por fin! Te he estado llamando como loco. ¿Por qué no contestas?

—He estado ocupada en el laboratorio —le digo— ajustándome al nuevo planeta. La cosecha no tiene la eficiencia necesaria, pero me estoy acercando.

Es una mentira, y él probablemente lo sabe. Pero, ¿qué más puedo decirle? No puedo ignorar lo lejos que estamos en realidad y que un día lo llamaré y no contestará, no volverá a contestar nunca y no sabré qué ha pasado, no tendré explicación, solo silencio. No sé cómo explicarle el miedo. No sé cómo encontrar las palabras.

La imagen deja de vibrar, se estabiliza y por fin puedo verlo. Se ve cansado, pero su cansancio es diferente al mío, conlleva menos desesperación. Siento sus ojos sobre mí, buscando signos de cansancio, de un episodio. Quiero decirle que nunca reconocerá los síntomas, porque nunca está aquí para ellos. No hay nada que pueda hacer para evitarlo.

—Te ves mejor que la última vez que hablamos.

Lo miro, pero él está observando algo fuera del ansible. La última vez que hablamos fue en el laboratorio y definitivamente no me veo mejor ahora. Entonces pienso en las visiones que tuve y me pregunto si él me llamó, si fue él quien avisó a la enfermería que estaba peor.

Aguanto la respiración. Hay cosas de las que no hablamos: del colapso, de su matrimonio, de su promesa imposible de cumplir, de nuestras vidas que no volverán a cruzarse, pero durante el episodio atravesé esa frontera. El silencio crece entre nosotros.

—Me siento mejor —mi voz suena seca, como si no la hubiera usado en años—. Gracias por avisar al doctor.

Cada palabra me duele. No quiero hablar de esto. Necesito que entienda que no puedo hablar de la pérdida de control y que es demasiado doloroso, que me da demasiado miedo la posibilidad de que nadie me avise cuando se muera, de colapsar sola del otro lado de la galaxia y que a nadie le importe.

—¿Qué clase de anclaje sería si te dejara enloquecer?

Levanto los ojos. Sus facciones se ven más suaves, pero acongojadas. De pronto entiendo que él también está triste, que él tampoco sabe qué hacer o decir ahora. Siente lo mismo que yo, comprendo su dolor perfectamente. ¿Qué importa si no está aquí físicamente, si yo no estoy allí? Me ayudó durante el episodio y cada vez que responde el ansible me ancla a la realidad. Me ayudará hasta que pueda y yo resistiré el aislamiento mientras sea capaz. Lo observo, vestido con ropa de estar por casa y despeinado como si hubiera salido de la cama para contestar la llamada, de pie en medio de mi cuarto, casi como si estuviera aquí, preocupado por el episodio.

Puedo pensar en muchos momentos similares: Kon sentado en el sillón, sus pies sobre una mesa, una cerveza en su mano, me hace reír con un mal chiste; Kon explicándome que alguien no entiende sus ideas sobre traducción y lenguaje, oye mis consejos; Kon escuchando mis problemas de terraformación, sobre la obstinación de mis plantas una y otra vez, hace que se me ocurran nuevas ideas. Esos son los momentos importantes, los momentos reales, los momentos que me mantienen cuerda. No necesitamos hablarlo y discutirlo, porque confío en él, en que no me dejará sola, en que yo no lo dejaré solo, en que lo importante es este entendimiento.

—¿Tienes tiempo? Para hablar sobre mis plantas.

—Creo que tengo algunas horas —dice y exhalo el aire que estaba guardando—. ¿Tenía razón? ¿Era el entrelazamiento?

Se sienta, el sillón rojo aparece debajo de él, y abre una cerveza que se materializa en su mano. Sonrío.

—Sí, pero eso es lo de menos. Deberías ver cómo encontré el laboratorio.

Él me devuelve la sonrisa, como si acabara de contarle un chiste, y nuestro entrelazamiento se estabiliza.

EL ÚLTIMO DÍA DE MERCADO

—¡Cuidadito y regresas con otro refuerzo, Agustina! Es lo último que me falta hoy.

El tono de voz que Myriam utiliza con su hija es muy distinto al que usa con Luisa. Nunca se había dado cuenta. Es la diferencia entre una orden y una petición.

—Qué exagerada, mamá.

—No me contestes.

La orden le sale natural. Myriam no se ha acostumbrado a que Tina tenga un auricular y esté conectada a la red de la casa. Tina tampoco está acostumbrada, porque su reacción no es obedecer, sino contestar:

—Ma…

El choque eléctrico detiene la respuesta en la primera sílaba. Luisa, que está escondida entre los arbustos del jardín, no puede ver la reacción de Tina, pero la imagina. Se tensa, tal vez hace una mueca de dolor, se niega a reaccionar. En un circuito cerrado cada desobediencia genera una pulsada eléctrica. La descarga es como la de las máquinas de toques, aumenta hasta que la persona obedece. Nunca llega a las quemaduras, pero debe ser dolorosa, incómoda. La conexión con la red tiene la desventaja de venir con una jerarquía: Tina, su madre, la casa.

Luisa nunca lo ha sentido en carne propia. Probablemente nunca lo sienta. Sus padres y ella son la casa, los dueños de la red a los que el resto está conectado y mientras que los padres de Luisa sí tienen un auricular para acceder a la red, se espera que ella no necesite uno nunca, que sus capacidades genéticamente modificadas, hechas a la medida, la pongan por encima de cualquier refuerzo.

—Ay, Tina... —la voz de Myriam sale como un sollozo—. ¿Tienes el dinero de las tortillas? No tardes, por favor.

A pesar de que su madre ha levantado la orden, Tina no le contesta. Sale por la puerta de la cocina al jardín. Ya afuera se limpia los ojos, agita todo el cuerpo como si así pudiera sacarse la corriente eléctrica de adentro. Avanza con decisión hacia la puerta de servicio al fondo del jardín. Luisa sale de su escondite entre los arbustos y cuando alcanza a Tina, esta tiene su mano sobre el sensor para abrir la puerta. El arete que cuelga de su oreja izquierda, conectado al auricular y por tanto a sus emociones, brilla naranja. Un enfado leve. En las cuatro semanas que Tina ha estado usándolo, Luisa ha creado un catálogo color—emoción.

Cuando Tina llegó con el auricular, tres meses atrás, causó una conmoción. Myriam estaba furiosa. No quería que su hija estuviera conectada a la red de la casa. En vez de apoyarla, la madre de Luisa le dijo a Myriam que, una vez hecha la conexión, lo más prudente era que Tina estuviera conectada a un sistema cerrado. Más tarde, durante una fiesta, Luisa le escuchó decir que era mejor así, que todos estaban más seguros si todo el servicio estaba conectado a la red.

Al cruzar la puerta, Luisa aguanta la respiración. Interfirió el sistema de seguridad esa mañana para que la dejara salir sin problemas, pero no está segura de su éxito hasta que se encuentra del otro lado y la alarma no ha sonado. Solo para asegurarse, revisa el programa de intervención en la pantalla de su brazalete. Todo bien. Nadie va a buscarla en el rato que esté fuera. Sus padres no se encuentran en casa. Como todos los sábados pasarán la mañana en el club. Comerán allí y no regresarán hasta que sea hora de supervisar los últimos detalles para la cena de cumpleaños de su padre. Nadie se preocupará por ella hasta que lleguen los primeros invitados y su madre suba a asegurarse de que el vestido de Luisa es adecuado.

Tina, por supuesto, ha salido muchas veces. No es la primera vez que la mandan a comprar algo al mercadito sobre ruedas que se pone los sábados a pocas cuadras, justo en la calle que divide dos colonias. Pase lo que pase, comentar la aventura será una buena distracción durante la fiesta de esa noche. Tina, a pesar de ser hija de la cocinera, siempre está invitada. Son mejores amigas y, gracias a ella, Luisa puede aguantar que le pregunten qué nuevo idioma ha aprendido este mes (coreano) o le pidan que resuelva problemas de geometría avanzada. Siempre hay algún adulto que quiere ver si las capacidades de una inteligencia expandida están a la altura.

−¿Trajiste las cápsulas de inteligencia?

−No se llaman así, pero sí, aquí están.. Fue cosa de cambiar las etiquetas. Dejé dos para que Clara piense que se me volvieron a acabar. ¿Es suficiente para la extensión?

Luisa toma tres cápsulas con el desayuno y dos más con la cena. Sus padres solo toman la dosis de la mañana, pero los genes de Luisa fueron modificados desde la gestación, así que requiere más medicamentos y chequeos para mantener en orden sus funciones cognitivas avanzadas.

−Sí. En el mercado del sábado hay de todo. Me recomendaron una tienda que es de confianza. ¿Segura que quieres venir?

Luisa casi puede oír la voz de su madre, sus advertencias sobre la colonia vecina, sobre salir sola a la calle, lo que puede sucederle. Luisa conoce las estadísticas y sabe que los trozeadores, esos que secuestran y hacen negocio con partes del cuerpo, que su madre teme, son un problema de verdad, pero está cansada de ver la ciudad solo por la ventana del coche. Quiere estar en ella.

—Vamos. Tardaremos más si nos quedamos aquí.

Para demostrar que no tiene miedo, Luisa se aleja de la puerta por el callejón. Saborea el sonido de cada uno de sus pasos, mira las envolturas y pedazos de botellas contra el muro. La callejuela está en completo silencio, a pesar de que la Ciudad de México siempre le ha parecido ruidosa y caótica desde el interior del coche. Llega hasta la esquina y con temor toca la pared. Esto es lo más lejos que ha caminado.

—El mundo exterior —dice Tina con los brazos abiertos para presentarle el callejón, el led en su arete brilla azul celeste—. Hay que deshacerte esas trenzas.

—Tu mamá me va a matar —dice Luisa antes de llevarse una mano al intricado peinado que Myriam le hizo durante el desayuno.

—Prometo que te ayudaré a trenzarlo de nuevo cuando volvamos.

Luisa siempre lleva el cabello recogido, pero cuando Tina termina de deshacer la trenza le cuelga alrededor de la cara.

—Se ve bien —dice Tina—. El mercadito está para acá. Vamos.

* * *

Caminan por la avenida Sierra Madre cuando Luisa ve los primeros puestos del mercadito sobre ruedas. Los ha visto antes, de lejos, a través de la ventana del coche estancado en el tráfico. En los días previos a la excursión, leyó sobre ellos, sobre cómo recibían permisos de las alcaldías para ocupar distintos lugares a lo largo de la semana. El del sábado es el más grande. En una de las esquinas se pone la señora que trae las mejores tortillas. Hechas a mano de principio a fin. Un lujo.

Pese a todo lo que ha leído, no está preparada para el caos del mercado. La luz a su alrededor es rosa y el arete de Tina se ve morado claro en lugar de azul. Está emocionada. El ruido la envuelve: las pisadas; la gente que grita "¡Güerita!", "¡Seño!", "¡Joven!", tratando de que los transeúntes se detengan; se intercambian precios de aguacates, mangos y queso; el silbido del aceite hirviendo mezclado con el sonido de la gente comiendo, platicando. El aire está cargado con los olores cambiantes de puesto a puesto: flores frescas, tacos y garnachas, frutas, carne cruda, pollos sin cabezas. Y el calor, la luz del sol concentrada, amplificada entre los cuerpos. Dentro del mercado se siente, no puede ver bien con tanta gente.

Sin embargo, Tina sabe a la perfección a dónde va. Zigzaguea entre los puestos sin responder a los gritos ni detenerse; Luisa la sigue, tropezando con la gente, sin saber cómo pasar alrededor de los que están detenidos. Se distrae con cada nuevo estímulo: olores a fruta, carne cociéndose, sudor; los colores de los puestos, la comida, los vestidos de quinceañera que cuelgan en un puesto, la ropa de la gente y, sobre todo, los sonidos: cumbia en un puesto, en otro gritan "¡Llévelo, llévelo!" y, apenas unos pasos más lejos, otra canción, otro grito. La atmósfera húmeda creada por los cuerpos y las carpas sucias y viejas. Esto es lo que ha querido por mucho tiempo, pero ahora siente que los estímulos la sobrepasan. Su mente trata de procesar toda la información al mismo tiempo.

Después de varios puestos de fruta y verduras, Tina se detiene frente al de una anciana. Está sentada en un huacal, rodeada de canastas cubiertas por trapos bordados con flores donde saca tortillas frescas. Tres personas esperan su turno. El proceso es lento, artesanal y la gente paga por eso.

—Ten —le da un billete azul que dice quinientos y tiene unos pájaros alrededor del número—. Dile que vienes de parte de la señora Myriam. Que te dé lo encargado, agregue dos docenas y te las envuelva. Pasamos por ellas de regreso. Yo ahorita vengo. Voy a preguntar por la tienda.

Luisa nunca ha tenido dinero en sus manos, así que observa el billete. ¿Será mucho o muy poco? ¿Cuánto costará una tortilla? Si lo supiera, podría hacer la cuenta de cuánto tiene que pagarle. Cuando por fin llega hasta la señora de las tortillas, pide sin titubear.

–Pásame la mitad y en veinte te las tengo. Voy a mandar a mi hija por más.

No dice cuánto es y Luisa teme preguntar. No quiere que se note que nunca ha hecho eso antes, así que solo le extiende el billete. La señora frunce el ceño. ¿Será mucho? ¿Muy poco? Luisa siente cómo su corazón se acelera, pero al final la señora toma el billete y le regresa algunas monedas, luego hace un gesto para llamar a la siguiente persona.

Luisa se quita del camino y mira alrededor. ¿Dónde está Tina?

Se le cierra la garganta. La gente pasa a su alrededor. La empujan, le gritan. Los estímulos que un momento antes le causaban emoción, ahora la aplastan. No sabe en qué concentrarse, comienza a tratar de aislar cada olor: a sudor, a grasa, a aceite quemándose, a tortillas frescas. En su mente retumban las advertencias de su madre sobre los peligros que se encuentran más allá del muro. Cierra los ojos y comienza a recorrer todos los escenarios posibles, tratando de pensar en planes de contingencia. ¿Qué hacer si Tina la abandonó? ¿Cómo volver a casa? Tendría que salir del mercado, encontrar Sierra Madre y de allí deshacer el camino.

–¡Luisa!

Abre los ojos y distingue a Tina entre la gente.

–Ya sé dónde está la tienda. ¿Ya pediste las tortillas? ¿Tienes el cambio?

Luisa le entrega las monedas que la señora le regresó y Tina las cuenta. Hace una mueca.

—¿Está mal?

—No. No te preocupes. Lo arreglo cuando volvamos.

Tina guarda el cambio y con un gesto de la cabeza le dice que la siga.

—Por aquí, al fondo. Hay que salir del mercado. Me dijeron que pregunte por don Romo.

Tina comienza a andar. Mientras caminan, Luisa trata de recordar detalles de cada esquina para crear un mapa mental. Salen del mercado a una calle donde los muros tienen grafitis y la pintura de las paredes se está descarapelando. La madera se ve más vieja, los vidrios de las ventanas más sucios. La calle está repleta de hombres que ofrecen productos. Hay mantas en el suelo sobre las que observan productos de todo tipo. Luisa se detiene frente a una que vende pequeñas cajitas llenas de líquidos de colores. Después de inspeccionarlas un momento se da cuenta de que son iris azules, grises, verdes e incluso morados. Pantallas de ojos. Son temperamentales y Luisa solo ha leído sobre ellas, porque son ilegales en Estados Unidos y Europa.

Tina la espera frente a la puerta de una vecindad. Caminan por un pasillo hasta el número 4. Luisa observa las baldosas sucias y rotas, tratando de distinguir el patrón. Se detienen en la puerta.

—¿Me das las cápsulas?

—¿Qué estamos haciendo aquí? —pregunta Luisa—. ¿En serio vas a comprar una extensión de pantalla?

—No exactamente. Voy a arreglar mi auricular.

—¿Arreglar? ¿Aquí? Pero si lo acabas de comprar.

Tina se muerde el labio, su arete brilla verde. Luisa sabe que su amiga está nerviosa. Miente.

—Dime la verdad.

—El circuito de mi auricular está cerrado y conectado a tu casa. Ya lo sabes —responde Tina, tras un breve e incómodo silencio—. Necesito abrirlo para que no pase lo de hace rato con las órdenes de mamá. Me dijeron que por una botella de tus cápsulas podría conseguir que me lo abrieran.

Luisa quiere decirle que es peligroso tener un circuito abierto, que cada auricular está conectado a una red cerrada para proteger la mente de las personas, que Myriam no la va a dejar tener su fiesta si se entera, que las redes evitan ataques del exterior, cosas que ella sabía, pero el arete de Tina pulsa de color amarillo. Está enojada. Sabe que ninguno de sus argumentos convencerá a su amiga.

—¿Es seguro?

—Sí. Don Romo es el mejor y será rápido. Media hora máximo. ¿Me das las cápsulas?

La pregunta no se siente como una petición. ¿Qué haría Tina si Luisa se niega? ¿La atacaría? Luisa abre su mochila y saca el frasco.

* * *

La tienda de don Romo es pequeña y está abarrotada de refuerzos mecánicos. Luisa nunca ha visto muchos de los diseños que cuelgan del techo, pero puede adivinar para qué son: arneses para ser más fuerte, diademas para guardar información mental, collares con pequeñas bocinas para cambiar el tono de la voz. Algunos de los aparatos están hechos de piezas de distintos metales y colores, como si alguien hubiera descuartizado diferentes refuerzos y usado las partes para crear nuevos mecanismos altamente especializados.

Tina se encuentra al fondo de la habitación, frente a la mesa de trabajo. Está hablando con rapidez, dando las especificaciones del tipo de pieza que desea. Está nerviosa, pero el hombre detrás de la mesa no la escucha. Está examinando la botella de cápsulas. Saca algunas y las observa con su ojo izquierdo, que está nublado y desenfocado, probablemente reforzado para examinar las pequeñas marcas en el borde de cada cápsula. Don Romo es pequeño, con piel endurecida bajo el sol. Sus brazos y manos se ven fuertes, pero su rostro arrugado es el de un anciano.

—Son de muy buena calidad —dice—. ¿De dónde las sacaste?

—En la casa donde trabaja mi mamá tienen un gabinete lleno de ellas. ¿Me alcanza con eso?

Don Romo la mira fijamente con su ojo derecho, mientras su ojo reforzado se posa en Luisa. No tiene pupila, es un orbe lechoso y desenfocado. Sin embargo, Luisa se siente expuesta, mucho más de lo que se sentía afuera.

—Es mi prima, quería conocer su tienda —miente Tina—. ¿Es suficiente?

El hombre permanece impasible.

—Por supuesto —responde sin dejar de observarla.

¿Y si quiere ver su auricular? Luisa se toca el cabello, jugando con las puntas, como si quisiera colocarlas detrás de su oreja, a pesar de que no debe. En lugar de eso da un paso hacia la puerta.

—Sabes que te iría mejor si te tomaras las cápsulas en lugar de vendérmelas, ¿verdad? Mejorarán tu cerebro como ningún refuerzo mecánico sería capaz y no tiene ninguno de los efectos secundarios de las redes.

Luisa siente el ojo reforzado sobre ella. Da un paso hacia la puerta. No debería estar aquí, fue una pésima idea, lo sabe. Da otro paso.

—Deberías tener cuidado con tu auricular, no digas que tienes un circuito abierto. Algunos patrones prefieren tenernos cautivos en una red, conectados a sus casas, donde pueden controlarnos. Se va a poner peor, cuando todos esos niños modificados crezcan, van a ser mucho más que un refuerzo mecánico. Siempre vamos un paso atrás.

Cállate, piensa Luisa, *eso no es cierto*. Da otro paso y golpea uno de los refuerzos metálicos que cuelgan del techo. Reacciona por instinto y lo atrapa antes de que golpee el suelo. Cuando siente el peso, se da cuenta de lo que ha hecho. Ambos ojos, el oscuro y el nublado, se encuentran sobre ella y no sabe dónde ocultarse. Don Romo sabe qué es, quién es. La voz de su madre le reverbera dentro, le dice que es especial, que el mundo afuera de la casa le hará daño, que tiene que correr, huir. Luisa suelta el refuerzo mecánico. Antes de que alguien pueda detenerla alcanza la puerta, el ruido sordo del golpe la sigue y comienza a correr hacia el mercado.

* * *

El aire se siente caliente en su garganta, sus pulmones le queman. Confía en que su mente haya creado un mapa, en que si sigue moviéndose quizá llegue a casa. Entra al mercado techado. Busca el vestido azul para orientarse. Da media vuelta, avanza un poco. Siente de nuevo la sensación de asfixia. La atmósfera rosada la oprime. Exhala e inhala intentando tranquilizarse.

—¡Luisa! —escucha su nombre. Es Tina—. ¡Detente! ¿Qué chingados te pasa?

Viene sola y eso la tranquiliza. Exhala e inhala.

—¿Cómo me encontraste?

El sudor de su cara hace que algunos mechones se le queden pegados en los ojos.

—Tienes un rastreador —dice Tina como si fuera lo más obvio, su arete vibra amarillo—. ¿Crees que tus padres se la jugarían? Toda la casa tiene acceso.

Luisa no responde. ¿Un rastreador? Se siente extraña en su propio cuerpo.

—¿Por qué te asustaste? Te pusiste como loca. Don Romo se asustó.

Se sintió una tonta.

—No lo sé —responde.

Tina le toca la espalda para tranquilizarla.

—¿Podemos irnos? —dice Luisa suavemente, aún con miedo.

—Ya pagué por la pieza. No puedo irme —dice Tina y Luisa quiere decirle que fue *ella* quien se robó las cápsulas, quien pagó, pero no lo hace—. Como no necesitas un auricular, no te importa, pero yo sí lo necesito y estoy cansada de estar conectada a la red de tu casa.

Luisa no le pregunta por qué, lo sabe de sobra, pero le sorprende que por primera vez Tina se refiera a la casa como un lugar que no le pertenece.

—Por favor.

Tina no contesta, su arete brilla rojo por un momento antes de volver a amarillo.

—Voy a volver con Don Romo. Ven conmigo o regresa a casa. Me da igual.

De nuevo la asfixia. El miedo. Luisa siente que los ojos se le llenan de lágrimas. Tina se da media vuelta y comienza a caminar.

—Tina, llévame a casa. Ahora.

La orden sale de su boca con facilidad, tanta que apenas la registra. Tina se detiene, ambas saben lo que sucederá si se niega. Las dos conocen la jerarquía, Luisa es la hija de la casa y el auricular lo sabe. Tina da un paso y se tensa, el arete se pone rojo oscuro.

Tina se vuelve a mirarla, con los puños apretados. Su arete oscila entre el rojo y el naranja. Parece que está a punto de gritar, pero cuando habla su voz suena rota:

—Vamos.

Caminan en silencio, pasan frente al vestido azul de quinceañera, los muebles viejos, las mesas de comida, la señora de las tortillas, los puestos de flores y frutas y salen a Sierra Madre. Tina no se detiene hasta que se encuentran de nuevo frente a la puerta de metal en el callejón. Luisa la toma del brazo y abre la boca para disculparse, pero la detiene el rostro resignado de la otra niña.

—Aquí está. Tu casa —dice Tina, su arete completamente transparente.

Luisa quiere decirle algo que arregle lo que acaba de suceder entre ellas, decirle que entiende por qué Tina quiere un auricular, que ella también sabe de encierros y órdenes, pero algo la detiene. *Tu casa*, dijo Tina, y algo en ese pronombre desarma todos los argumentos de Luisa antes de que pueda formularlos. Se mezcla con el miedo y la vergüenza. La culpa se transforma en rabia. Con una palabra Tina alzó un muro entre ellas. ¿No entiende que tenía miedo, que la llevó a un lugar peligroso, que la utilizó para conseguir lo que quería? Las amigas no harían eso. Tal vez ellas nunca fueron amigas, tal vez...

El silencio se extiende y por un momento parece que se quedarán allí, heladas; sin embargo, Tina toca la puerta de metal que se abre hacia el jardín, da media vuelta y se aleja.

La idea se siente más como un reflejo. Una reacción a la desesperación. Luisa abre el programa en su brazalete y lo apaga. No podría decir por qué lo hace, solo que tiene que hacer algo antes de que Tina gire la esquina. Cruza la puerta y la alarma retumba por toda la cuadra. Retumba dentro de sus padres, de Arturo, Clara, Myriam y la misma Tina. Todas las personas conectadas a la casa saben que está allí, en la puerta, entre el jardín y el callejón. Luisa ya no alcanza a verla, pero con cierta satisfacción imagina el pendiente de Tina morado de incredulidad.

En el pensamiento

—Piénsalo—dijo Teo—, si estuviéramos frecuenciados, hubiera sabido que tenía que rescatarte cuando te quedaste hablando con la esposa del jefe.

Acababan de llegar de una cena. Teo estaba apoyado contra la barra de la cocina y todavía traía puesto el saco, aunque la corbata roja que Ruth le había regalado para su último cumpleaños estaba desatada. Se veía guapo, de esa forma desvergonzada que a ella siempre le había gustado, pero esa noche, a las dos de la mañana, solo quería dormir. Quería quitarse el vestido, que le hacía sentir como si tuviera que estar perfectamente erguida, porque en él percibía hasta la más pequeña de sus imperfecciones. Quería meterse a la cama, esa cama llena de almohadas y cobijas donde siempre se sentía abrazada, incluso cuando él no estaba allí. Quería recuperar el silencio; a pesar de que Jessa estaba dormida, solo entrar al departamento había hecho que el familiar dolor de cabeza comenzara.

—Sí, claro. Incluso si pudiera gritar dentro de tu cabeza, no nos hubieras interrumpido. Esa mujer te da muchísimo miedo.

—Claro que me da miedo, pero si hubiera oído que estabas molesta, por lo menos me hubiera acercado. Solo imagínalo. No tendrías que volver a pedirme nada. Ya lo sabría. ¿Alguna vez lo has pensado? ¿Cómo se sentiría compartir pensamientos?

Por un momento, Ruth pensó que Teo estaba bromeando, pero al verlo serio con los brazos cruzados, se dio cuenta de que esperaba su respuesta. No le contestó en seguida, se tomó su tiempo. Se quitó el abrigo, se sentó en la mesa y se quitó los zapatos. Podía sentir el piso frío a través de las medias y por un momento deseó desaparecerlas. Quería estar descalza, como cuando era niña y ella y Jessa caminaban sin zapatos por la cocina de sus padres, que era mucho más pequeña y oscura que esta, espaciosa, limpia, con gabinetes de madera y repisas de mármol. Apoyó sus pies en otra silla, para alejar a su mente lo más posible de esa idea y ese recuerdo.

—No sé —dijo Ruth—. Siempre pensé que sería muy incómodo.

Por lo general cuando ella le decía que algo la incomodaba, él no insistía más. Había muchas cosas que incomodaban a Ruth. Pedir dinero prestado de los padres de él, tomarse una semana libre del trabajo para ir al otro lado del mundo en Hyper, alargar su hora de comida para ir al último restaurante de moda para el que él había conseguido una reservación, las caricias en el pelo, los regalos caros, en realidad cualquier tipo de regalo. Teo normalmente no insistía, pero Ruth se percató en ese momento de que esta vez no funcionaría.

—¿En serio? Estaría bien no tener que preocuparme por las palabras, solo pensar y que tú lo entiendas. Suena increíble.

—Suena a que eres un flojo. Hay algo lindo en buscar las palabras correctas. Además, no sé, me gusta saber que mis pensamientos son solo míos.

—Bueno, a mí me gustaría conocerlos a veces. Creo que podría entenderte mucho mejor. Algunas veces creo que te conozco y entonces vas y dices algo que no esperaba. Creo que compartir una frecuencia contigo sería increíble.

—No sé. La frecuenciación me suena siempre a algo tan... grande.

—Pero, ¿alguna vez lo has considerado? ¿Lo has pensado de verdad? No solo la idea de frecuenciarte, sino hacerlo conmigo.

Por supuesto que lo había pensado, cientos de veces. Era uno de sus mayores miedos. Aún ahora, a pesar de que Jessa estaba dormida, Ruth podía sentir la mente de su hermana como el rumor de un océano lejano. Al principio de su relación con Teo, cada vez que consideraba contarle que estaba frecuenciada, pasaba la noche despierta, oyéndolo respirar, imaginando con terror cómo sería tenerlo dentro de su mente. Saber qué pensaba su hermana no las había acercado, todo lo contrario.

Teo tomó dos copas y la botella de vino a medio terminar que habían dejado en la barra. Ella ya sabía que no le apetecía seguir bebiendo, pero no dijo nada. Tal vez sería la mejor forma de tomar valor para decirle. Teo cruzó la cocina y se sentó junto a ella. Sirvió el vino y con cariño tomó su mano. Ella tuvo que detenerse a sí misma para no moverse.

—Teo, mira la hora. No vamos a discutir esto ahorita. Jessa está dormida en el otro cuarto y le prometí que iríamos de compras mañana.

—Es que me da curiosidad. Lo he estado pensando un montón, ¿sabes? Cómo sería. Marco siempre habla del procedimiento y... no sé. Creo que podríamos hablarlo, tal vez hasta intentarlo.

—Sé de sobra lo que Marco piensa —aprovechó la oportunidad para soltar su mano—. Pero... ¿no te das cuenta de que tú y yo no lo necesitamos?

Estaba cansada de hablar sobre Marco. Marco, que había estudiado en la misma universidad que Teo; Marco, que hacía que Teo quisiera comprar nuevos trajes; Marco, que a los treinta y cinco era una joven promesa y lo sabía. Marco, que conocía cuáles eran los mejores restaurantes para cenar, el mejor café para beber, los mejores hoteles para las vacaciones. Marco, que desde que se había hecho el procedimiento, se había rapado la mitad de su cabello rubio y ondulado para mostrar la cicatriz de la frecuenciación, para que todos supieran que tenía el último modelo, el que solo necesitaba una pequeña incisión en un costado del cráneo porque la antena y los sensores venían incluidos y no tenían que colocarse en otras partes del cuerpo. No dejaba de hablar de la frecuenciación, así que a Ruth no le sorprendía que a Teo se le hubiera metido la idea en la cabeza.

Marco y Teo se conocieron en una reunión de exalumnos seis meses antes y desde entonces Ruth había tenido que soportar a Marco y su esposa en un sinnúmero de cenas y fiestas. Lo único que le llamaba la atención de esa pareja era que en los últimos cinco meses no había oído hablar a la esposa. Era pequeña y se veía aburrida como si ya lo hubiera vivido todo antes. Ruth sospechaba que su comportamiento tenía que ver con las pastillas que sacaba de cuando en cuando de su bolsa y que tomaba con vino. Ruth lo entendía perfectamente. Si ella tuviera que estar en la cabeza de Marco todo el tiempo, también sentiría la necesidad de ahogar su mente.

—Marco puede ser un poco intenso. Pero el otro día me dijo algo que me hizo pensar en ti. Le tomó un montón de tiempo decidirse, ¿sabes? Al principio tuvieron una de esas frecuencias intermitentes, porque también le incomodaba, pero ahora tiene una fija y puedes ver lo mucho que le gusta. Dice que todos siempre piensan que no lo necesitan. Pero eso cambia después de probarlo.

—No funciona igual para todos. Y están las historias de las parejas que ya no son capaces de estar separados porque no pueden soportar no estar en rango. Está demostrado que algunas personas se vuelven más celosas y posesivas. ¿Eso no te asusta?

—Eso no nos va a pasar a nosotros —por debajo de la mesa Teo puso su mano en su rodilla—. Eso solo le pasa a las parejas que no se conocen lo suficiente, las que hacen el procedimiento muy pronto. Yo sé que tu privacidad es importante para ti y no te estoy pidiendo que tomemos una frecuencia abierta donde cualquier persona con un radio podría oírnos. No somos exhibicionistas. Podríamos ahorrar un poco y comprar nuestra propia frecuencia, puede ser intermitente al principio, mientras te acostumbras. Cada vez es más barato. Sería solo para nosotros.

—Pero es un riesgo innecesario. ¿Cuántos casos hemos oído de monitoreo de frecuencias? No importa qué tan privada o segura sea tu frecuencia, existen maneras de que te monitoreen. He leído tantos artículos sobre cómo es una manera del gobierno de saber qué estamos pensando.

No tenía duda de que frecuenciarse con Teo solo destruiría su relación. Era mejor discutir el efecto de la frecuenciación en la sociedad y no en ellos. Un debate hipotético podía controlarlo, pero si Teo la presionaba y se sinceraba, se enfrentaría a tener que confesarle que hasta ese momento le había mentido y eso los destruiría también.

—Eso es una estupidez. Pura paranoia. Los dos sabemos cuánto costaría que el gobierno se dedicara a monitorear todos los pensamientos de la gente común. Es muchísimo dinero.

—Eso mismo decían de las cuentas privadas y el internet hace medio siglo. Es obvio que no era verdad.

Teo se movió, incómodo. Se quitó el saco y se pasó las manos por el cabello, como siempre hacía cuando estaba pensando. A Ruth siempre le había gustado su cabello, era suave y sedoso. Una de las primeras preguntas que se había hecho al conocerlo era como se sentiría entre sus dedos. En ese entonces él lo llevaba tan largo como para estar a la moda, pero suficientemente corto como para que lo tomaran en serio. Brillaba debajo de las luces de la biblioteca. Ambos estaban allí para una conferencia y él se había acercado a hablarle después en el bar. Ella había amado la atención. Apenas habían pasado unos meses desde que se había mudado del apartamento de sus padres, del pequeño cuarto que compartía con su hermana y no había nada que quisiera más que su atención.

—Nos estamos yendo por la tangente. Mira, es como lo de Jessa. Un día llegas y me dices que tu hermana quiere venir a visitarte. Había asumido que eras hija única, pero no. Tienes una hermana de la que nunca me habías hablado. Y acepté tu privacidad entonces, pero fue un recordatorio de que hay muchísimo que no sé de ti.

Ruth tomó una de las copas. En realidad no quería beber más alcohol, había tomado suficiente durante la cena, pero tenía el deseo urgente de hacer algo con su cuerpo que no fuera solo estar sentada junto a él. Tomó un sorbo para darse tiempo. ¿Podría decirle: no te conté que tenía una hermana porque estamos frecuenciadas y no soporto estar cerca de ella? No estaba segura de que él lo entendería y aun si la perdonaba por las mentiras, temía que solo insistiría más en llevar a cabo el procedimiento. Podía oírlo claramente: pero si ya tienes una frecuencia, ¿cuál es el problema?

—Te expliqué que mi relación con Jessa es difícil.

—Mi relación con mis padres es difícil, pero sabes que existen.

—No entiendes mi problema porque eres hijo único y tuviste todo lo que querías. Eso no me pasó a mí. Yo tuve que compartirlo todo. Lo único que realmente es mío, es lo que está en mi cabeza, mis pensamientos. Me estás pidiendo que comparta eso. ¿Por qué estás insistiendo en esto?

Al menos lo pide, pensó ella, y ese pensamiento le hizo recordar cuando era una niña de seis años. Su padre estaba desempleado y vivían con su abuela en una casa que siempre estaba llena de gente yendo y viniendo. Ruth nunca estaba sola. Los cuatro dormían en un mismo cuarto e incluso antes de los hospitales y los doctores, ella ya tenía que compartir su ropa, su muñeca y cada pequeño detalle con Jessa, que era dos años menor y tanto más pequeña.

Ruth no culpaba a sus padres por haber aceptado la oferta. Los había sacado de la casa de su abuela, les había conseguido un departamento, le había dado la oportunidad de ir a la universidad. Necesitaban niños, hermanos, para las pruebas finales, para saber si el procedimiento funcionaba a pesar de la edad y la cercanía genética. Así que las dos hermanas se habían convertido en sujetos de estudio. Para cuando Ruth cumplió nueve años su cabello había crecido lo suficiente para ocultar la cicatriz más grande y desde ese momento no le había dicho a nadie que estaba frecuenciada. Nadie tenía que saber la verdad. Las otras marcas estaban en lugares menos visibles y eran más pequeñas, más fáciles de explicar. Una por pisar un vidrio, otra por quemarse con un sartén, otra más al caerse de una bicicleta.

Con el dinero se mudaron a un departamento grande, de dos cuartos, en el que su madre y Jessa todavía vivían. A los quince años, Ruth soñaba con un cuarto para ella. Así que cuando estaba sola en casa y nadie podía oírla, se acostaba en la cama que compartía con Jessa e imaginaba que, si quisiera, podría dormir en posición de estrella, con las piernas y los brazos abiertos, ocupando cada milímetro de espacio. Entonces tenía claro cómo se sentía: el odio a compartir, el deseo de espacio en su cuarto, en su mente, pero ahora frente a Teo, Ruth no podía expresar en voz alta que la idea de compartir sus pensamientos la aterrorizaba.

—A veces siento que solo me das excusas —él se cruzó de brazos—. Nunca dices las cosas claras. Nunca dices lo que quieres. ¿En serio piensas que somos una de esas parejas que no pueden aceptarse?

—¡Claro que no! —dijo ella rápidamente, antes de que él pudiera pensar que mentía, pero ella sabía qué tan difícil era aceptar todo lo que pasaba por la cabeza de alguien más. Bajó el zíper del vestido un poco, lo suficiente para que fuera más cómodo. Debajo de la mesa sintió la mano de Teo en su pie. Nunca dejaba que le tocara los pies, pero no se movió, había algo reconfortante en aquel roce.

—Bueno, ¿entonces qué pasa? No entiendo por qué no puedes ni siquiera considerarlo. Siempre he querido el tipo de cercanía de mis padres, ¿sabes? Y yo sé que te cuesta trabajo dejar entrar a la gente. Nos llevó tres años comenzar a vivir juntos. Puedo esperar, Ruth, pero a veces quisiera que cada paso, cada puerta que abres no fuera como escalar una montaña. El frecuenciarnos es solo una idea, no tenemos que hacerlo, pero me duele que no lo consideres.

Teo esperaría el tiempo que hiciera falta si ella prometía considerarlo. Lo sabía. Había esperado antes, para obtener su teléfono, para que aceptara una cita, para que pasara la noche entera con él, para que viajaran y celebraran Navidad juntos, para que fuera a cenar con sus padres, para que aceptara una llave, para que dejara un cepillo de dientes en el baño. Había esperado por cada pequeño signo de compromiso. Él siempre había dado el primer paso y aguardado con paciencia a que ella lo siguiera. Ruth había luchado contra la atracción que sentía desde la primera noche, pero se había enamorado de él a pesar suyo. Teo no podía aceptar los silencios que ella necesitaba o que había partes de sí misma que no podía compartir. Pedía demostraciones de cercanía a cambio de su cariño y era incapaz de concebir que hubiera un límite a lo que ella estaba dispuesta a dar.

Se levantó para llenar su copa con agua fría. Necesitaba una pausa, un momento de silencio para encontrar algo que le diera más tiempo con él. Aunque ya en este punto sentía que sin importar qué hiciera, lo perdería. Dejarlo entrar o dejarlo fuera, daba lo mismo.

—Esta primavera se cumplirán seis años desde que nos conocimos. Espero que no sientas que necesito hacer esto como una prueba de que te amo.

Era un golpe bajo, pero necesitaba protegerse, cambiar el tema.

—No seas boba. Yo sé que me amas. No se trata de que me pruebes algo. Es como si no me estuvieras escuchando. Se trata de la conexión. Quiero este tipo de conexión contigo. Sé bien que no eres una de esas mujeres que le darían su frecuencia personal a alguien en la tercera cita. Pero me confunde que te pongas tan a la defensiva.

—¿Una de esas mujeres? ¿A la defensiva? ¿Estás escuchando lo que sale de tu boca?

No contestó de inmediato, debía de sentir que ella quería comenzar una pelea. Estaba sentado con un brazo apoyado en el respaldo de la silla, mientras que con la otra mano no dejaba de jugar con la copa vacía.

—Dime la verdad. ¿Qué está pasando por tu cabeza? ¿Hay alguien más?

Su tono le rompió el corazón. Si le explicaba, tal vez… Pero no quería explicarle, no quería abrir esa herida. Si le decía sobre la frecuenciación, tendría que contarle sobre la época en que ella y Jessa no podían controlar qué compartían. Jessa vivía hacia afuera, como un libro abierto y no podía entender que Ruth quisiera guardarse cosas. Muchas veces se le escapaba algún detalle como quién le gustaba a Ruth o cuáles habían sido sus calificaciones. No lo hacía con mala intención, pero se metía en su cabeza en los momentos más inoportunos. ¿Quién querría compartir con su hermana fantasías sobre el chico que le gustaba o las primeras borracheras? Ruth no podía controlar lo que sentía, atacándola con su enfado a la menor provocación y frustración. Siempre la hacía llorar.

–No. Quiero estar contigo, pero no quiero tener a nadie en mi cabeza.

–Siempre pensé que éramos cercanos, pero lo de Jessa me hizo percatarme de que no. Tal vez esto es lo que nos hace falta. Lo siento, pero no sé cómo sacarme la idea.

Ella permaneció en silencio. El murmullo constante de los sueños de Jessa se calló de pronto, como cuando el mar se retrae antes de que una ola más grande embista la arena. Después de decir su nombre tantas veces, habían despertado a su hermana. Ruth se preparó por instinto, aferrándose a sus propios pensamientos, como quien clava los pies firmemente en la arena y con el mismo resultado de un bañista frente a un maremoto. La ola de pensamientos y sensaciones conscientes la golpeó e inundó su mente revolcándola lejos de Teo y la discusión. Por un momento no supo dónde se encontraba, pero la desorientación se sentía impostada. Era de Jessa, confundida al despertar en un cuarto inesperado. Ruth cerró los ojos y la lucha de separar qué pensamientos eran suyos y cuáles de Jessa hizo que no escuchara el final de lo que decía Teo. Pisó el suelo frío para concentrarse en la sensación, para enfocarse de nuevo en sí misma y alejarse de su hermana.

–¿Puedes entender mi posición? ¿Ruth?

Ruth, ¿estás bien?

–No estoy lista –abrió los ojos respondiendo a Teo y no a Jessa. No sabía cómo compartimentalizar su mente y discutir con Teo a la vez–. No me siento lista. Te quiero muchísimo, pero cuando pienso en ello siento como que me ahogo y me falta el aire. Me da tanto miedo y…

Quería decirle que probablemente nunca estaría lista, pero no podía. Decirle significaría perderlo y esa posibilidad la asustaba también.

¿Lista para qué? ¿Estás bien? Te noto enfadada.

Ruth trató de cerrar su mente, pero estaba fuera de práctica y no podía recuperar el control.

—Entiendo que te asuste, que necesites tiempo —dijo Teo. ¿Por qué no se daba cuenta de que se estaba desmoronando? ¿Por qué no le daba un momento?–, pero necesito saber si al menos lo considerarás.

¡Háblame, Ruth!

No podía contestar. No podía pensar. Le sorprendió darse cuenta de que estaba llorando. No sabía en qué momento había comenzado. Teo no se había movido para consolarla y fue eso lo que le aseguró que hablaba seriamente. Lanzó un pensamiento desesperado hacia su hermana: vete, déjame sola por favor.

—No sé… No sé cómo explicarte. Siento que me ahogo y…

—Ruth, por favor no me manipules. Solo quiero una respuesta clara, ¿lo considerarías?

La presencia de Jessa desapareció y Ruth se encontró sola de nuevo. Teo se levantó y se apoyó contra la pared contraria.

—Te amo, pero…

Pero, terminó mentalmente, nunca podré frecuenciarme contigo o decirte por qué.

Teo suspiró.

—Estoy cansado de sentir que estoy solo, empujando todo el tiempo. Tengo que rogarte cada vez para que me dejes acercarme.

—Teo… yo…

No sabía qué decir. No quería seguir mintiéndole. Solo quería cruzar la cocina y abrazarlo. Sabía que de dar el primer paso, él la abrazaría de regreso, se irían a acostar, la discusión terminaría. Pero la mente de Ruth no logró convencer a su cuerpo de moverse. El silencio llenó la cocina. Él tomó su saco del respaldo de la silla.

—No puedo creer que ni siquiera seas capaz de pensarlo.

—¿Te vas? ¿Así nada más?

—No puedo quedarme aquí. Necesito caminar.

No lo detuvo. El sonido de la puerta reverberó por el departamento.

Ruth sintió que el silencio la aplastaba, así que apretó el código de la ventana y esta se abrió sin ruido. El aire frío llenó el cuarto, lo sintió en sus brazos y su espalda expuesta. La sensación la distrajo. Era la manera más eficiente de bajar el volumen de la estática que quedaba en una conexión latente. Se quitó las medias y la sensación del piso helado la calmó más. ¿Sería así como se sentiría la esposa de Marco?

Ese pensamiento la estremeció. Cerró la ventana y cruzó la sala. Sin tocar, entró al cuarto de huéspedes. La ventana estaba abierta y entraba un viento helado. La luz amarilla del alumbrado le daba forma a los muebles. Ruth la cerró y se sentó en la cama. La mano de Jessa encontró la suya. A pesar de todo, estaba caliente. Le hizo pensar en esa época cuando acostadas en la misma cama sin hablar trataban de poner la mente en blanco, para compartir solo la presencia. Esos eran los únicos recuerdos agradables de esa época, antes de que Ruth se fuera a la universidad, de que su padre por fin las abandonara y que Jessa decidiera quedarse a cuidar a su madre. Ruth se sentía tan distinta ahora.

Pensó en lo mucho que quería quedarse y un momento después Jessa se movió. Ruth se metió a la cama. Jessa no preguntó nada. No necesitaba hacerlo. Ruth podía sentir la opinión de su hermana sobre ella, pero la ignoró. Quería seguir llorando, pero ya no era capaz de encontrar lágrimas. Se sentía vacía. Un vacío algo triste, si eso tenía sentido. Agradeció el silencio. Habían tardado mucho tiempo en ser capaces de no pensar una junto a la otra, en aprender a bajar el volumen.

Desde su posición en la cama, podía mirar por la ventana. Había comenzado a nevar. La luz amarilla iluminaba las motas blancas en el viento. Ruth pensó en Teo, afuera, caminando cada vez más lejos. Parecía que en las relaciones había que elegir entre una distancia física o mental. Como si al acercarse a la mente de alguien, a sus secretos, más distancia se necesitara. En el caso de Marco y su esposa una mente cedía espacio, pero en el caso de Ruth y su hermana ella había tenido que alejarse para no consumirse. Se había mudado lejos después de la universidad y había sido capaz de ignorar su pasado. Luego había conocido a Teo y pensó que con el tiempo se atrevería contarle su secreto, pero, llegado el momento, había preferido herirlo que decirle la verdad. Ahora sabía que no se la diría nunca. Algo se había roto entre ellos y, aun si Teo y ella seguían juntos, la cercanía que él quería sería imposible.

Sin percatarse de que lo había deseado, Ruth sintió los pies calientes de Jessa. Se enredaron alrededor de los suyos y la distrajeron. Habían dormido así tantas veces cuando eran niñas. Ruth no se movió. Cerró los ojos y empujó la planta de su pie contra la de su hermana. Cicatriz contra cicatriz.

LA PERSONA QUE BUSCA NO ESTÁ DISPONIBLE

I don't think the time is quite right, but it's close.
I'm afraid, unfortunately, that I'm
in the last generation to die.

GERALD SUSSMAN

Ni siquiera me he quitado los tacones cuando entra la llamada de mamá. ¿Y si no contesto? Acabo de llegar, Gary todavía me está informando de las condiciones generales del departamento: falta leche en el refrigerador, las manzanas van a echarse a perder, una ventana se quedó abierta en modo manual y la calefacción se apagó. Quiero bañarme, meterme a la cama, olvidar todos los problemas de abrir un nuevo invernadero en la ciudad. Me apoyo contra la pared, dejo salir el aire mientras la alarma parpadea en la esquina superior de mi campo de visión. Podría ignorarla, pedirle a Gary que comience a calentar el agua para un baño.

Pero debería contestar. Mamá ha llamado tres veces durante el día y no ha dejado ningún mensaje. Eso no es normal. Aunque insiste en llamar en cuanto necesita algo, siempre deja mensajes. Sé que es ella porque la alerta es de color rojo; hace años la cambié para separarla del resto. El puntito desaparece y por un momento respiro tranquila. Podría apagar mis canales de comunicación, ignorar al mundo exterior. Podría, pero no lo haré.

Me resbalo hasta el suelo frío, me saco los zapatos que golpean la pared contraria y la llamo. Mamá contesta enseguida y el espacio a mi alrededor cambia. Ya no estoy sentada en la entrada de paredes blancas y piso de madera, en su lugar las lentillas se oscurecen y en un parpadeo me encuentro en la sala de llamada que mamá y yo diseñamos hace años. Se parece a la sala de la casa donde viví cuando era niña, con su alfombra roja, sus muebles de madera arreglados hacia la televisión; aunque hace décadas que nadie tiene una pantalla LCD. A mamá le gusta que los espacios de llamada se parezcan a lugares reales. Las realidades imaginarias, incluso los espacios en blanco que algunas personas eligen para sus llamadas, la incomodan. A mí solo pensar en compartir una imagen personal con un cliente me parece más incómodo, pero eso no se lo digo.

Parpadeo para acostumbrarme y luego enfoco el sillón frente a mí donde normalmente mamá se sienta con una taza de té, pero en su lugar hay una forma borrosa, un pilar de luz blanca que se distorsiona como si tuviera estática. ¿Será un error?

—¿Mamá? ¿Todo bien?

—Buenas noches. Este es un mensaje pregrabado para Anabel Orozco. La paciente 34H578-B de nombre Magdalena Orozco se encuentra en cuidados intensivos. Usted es su familiar más cercano. Su presencia se requiere lo antes posible. La dirección es...

El pilar de luz me da la dirección de un hospital en la CDMX. Luego repite la información. Cierro la sala de llamada con un movimiento de manos. Me encuentro de nuevo en la entrada del departamento, estoy temblando. Por el frío. Solo por el frío, pienso y le ordeno a Gary que compre un boleto.

Más tarde me entero de que hackearon las lentillas de mamá para obtener su contacto de emergencia porque no había uno registrado. Su expediente estaba vacío.

* * *

Tenía quince años cuando mamá compró su primer par de lentillas. Se compró el último modelo. Venía en una cajita amarilla y me sorprendió cómo a simple vista parecían unos lentes de contacto cualquiera, maleables y pequeños, sin la dureza o el tinte azulado de los neuropigmentos que tenían los modelos más viejos. Con algo de práctica mamá logró ponérselos sin problema. Me dieron celos. Yo llevaba por lo menos dos años usando lentillas y aunque había sido horrible acostumbrarme a la picazón, valía totalmente la pena, el mundo no tenía sentido para mí sin ellas. ¿Quién necesitaba pantallas, paredes inteligentes y teléfonos cuando podía tener todo pegado a los ojos, desplegando imágenes tridimensionales a su alrededor?

Mamá, por supuesto, no lo veía así. Sus primeras quejas fueron sobre las distracciones. Todo el tiempo aparecían ventanas frente a sus ojos, anuncios de este producto o aquel; una búsqueda rápida para comprar pantalones y de repente en la banda de noticias al pie de su campo de visión comenzaban a aparecer imágenes de los mismos pantalones en tiendas con precios más baratos. Se sentía bombardeada. ¡Y ni hablar de los gestos!

—Nunca me había dado cuenta de cuánto hablo con las manos hasta ahora. Estoy platicando con los vecinos y de repente ya no los veo y estoy en otra parte o llamé al supermercado o…

—Los gestos a esta altura —le dije por cuarta vez moviendo mis manos frente a mi pecho—. Mamá mírame. Los gestos a la altura del pecho son los que reconoce por diseño de fábrica, pero puedes cambiarlo, colocar tus gestos más arriba. Y no necesitas hacer clic, puedes sencillamente pensarlo y ya. Las lentillas responden a tus instrucciones por gesto, por habla o por pensamiento, ¿recuerdas?

Entonces todavía vivíamos en el departamento viejo de la colonia Del Valle. Los edificios inteligentes apenas estaban apareciendo en la ciudad, en zonas como Santa Fe y Polanco. Estábamos sentadas en la cocina, que no tenía todavía ninguna digiteligencia, pero yo había apagado todos mis *coms* para no distraerme. Observaba en una pantalla personal el reflejo de lo que veía mamá. Sus ojos se posaron en mí y me dio mareo verme a través de ella.

—Voy a configurar tus lentillas para que no aparezca nada de esto, solo lo básico —le dije concentrándome en modificar la configuración. Ella insistía en que debía decirle paso a paso qué hacía, pero seguro me tardaría más tiempo en explicarle cómo hacerlo.

—Todo lo que tienes que saber es que no debes tocar nada de esto. Mamá, deja de mover los ojos, me vas a marear.

—¿Y qué hago mientras tú cambias eso?

—No sé. Solo quédate quieta. Tardo un segundo.

Ajusté la velocidad de reacción, la sensibilidad a las órdenes de mamá, incluso el tamaño de su campo de visión. La configuración más básica. En realidad ella iba a usarlas solo para hablar y revisar la red. No iba a experimentar y ver películas en inmersión 3D o hacer visitas a distancia.

Cuando terminé, al reiniciar el sistema, mamá soltó una expresión de sorpresa porque su campo de visión se oscureció.

—Es como quedarse ciega —dijo cuando pudo ver de nuevo.

—Concéntrate. Intenta abrir tus mensajes. Ordénale que los abra.

—Abre el correo.

—No mamá —dije antes de cerrarlo—. En tu cabeza. ¿Quieres

ir por allí como esa gente que no sabe controlar sus pensamientos y lo dice todo en voz alta? Otra vez.

–Ani, no me trates como una inválida. Solo necesito que vayas más lento.

Pude estar haciendo cualquier otra cosa, pero en lugar de eso seguí ayudándole con sus lentillas, como la ayudaría cuando hubiera una nueva actualización, cuando hubiera que crear espacios de llamadas, cuando le configurara el arreglo de la casa y sus sensores de salud. Sin embargo, nunca pensé en crear un acceso a sus lentillas. Nunca se me ocurrió supervisarla. Eso es algo que piensan los padres, no los hijos.

* * *

Trato de averiguar qué ha pasado con mamá antes de abordar el Hyper, que Gary decidió sería más rápido aunque costara más que viajar en avión. Llamo al hospital, pero me encuentro con una contestadora automática y no tengo cabeza para pelearme con menús, necesito respuestas. Llamo a mamá, pero solo encuentro el mismo mensaje una y otra vez. Finalmente intento con doña Carmela. Desde que dejé la CDMX y mamá se mudó a un lugar más pequeño, ha sido su vecina en el departamento de enfrente. Eso fue hace quince años y doña Carmela no ha cambiado. Todavía está enterada de todo lo que sucede alrededor del edificio. A veces mamá me cuenta los chismes sobre la señora del 15-D que es adicta a las citas virtuales o la pareja joven del 26-B que deja las ventanas abiertas como si quisieran que los escuchara toda la cuadra.

Doña Carmela contesta enseguida. En los últimos meses, dice, mamá ha salido cada vez menos, en realidad solo la ve los lunes por la tarde para la reunión de vecinos. Pero justo hace dos semanas, mamá se cayó de la escalera. Iba a comprar leche, pero después del golpe se regresó a su casa, dijo que estaba bien y se negó a ir al médico. Doña Carmela pensó que había sido un tropezón, nada raro. Pero esta mañana, mientras hablaban, mamá volvió a perder el conocimiento.

—Frente a mis propios ojos, mija. Se fue al suelo y no había cómo despertarla. Llamé a la ambulancia enseguida. ¿Sabes cómo está?

En la cola para abordar el Hyper, le digo que no lo sé y le prometo que le informaré en cuanto sepa algo. Cuando me siento, tengo que apagar los *coms* de mis lentillas y un pensamiento es suficiente para que las ventanas desaparezcan de mi campo de visión. Me acomodo en el asiento y cierro los ojos. Nunca me ha gustado la sensación de velocidad del Hyper. Respiro profundamente antes del tirón.

* * *

En el tráfico de la CDMX logro por fin comunicarme con el doctor que está tratando a mamá en el hospital.

—Arreglamos el derrame por el golpe, nada que una regeneración nanométrica no cure, pero la debilitación general nos preocupa más. Además, no hay registro de que la paciente haya monitoreado su salud en los últimos meses. No podemos acceder a sus niveles. Parece que apagó sus sensores hace casi un año. Algunos de sus órganos internos están afectados por deformidades y tendremos que cambiarlos cuanto antes, pero se niega a recibir tratamiento. Aquí también vemos que la operaron el año pasado.

Sí, esa fue la última vez que la vi frente a frente. He estado demasiado ocupada como para venir de visita, ni siquiera había considerado que con el Hyper hubiera sido fácil verla un fin de semana. Además, hablamos todas las semanas en el espacio de llamada que es casi como estar frente a ella. ¿Para qué venir si con un pensamiento podemos vernos, hablarnos, como si estuviéramos en la misma ciudad?

–¿Ya está despierta?

–Sí. Despertó hace una hora. Le informamos que venía en camino. No estamos seguros de que se encuentre en condiciones de tomar una decisión sobre su salud. Preferimos esperar. La paciente se comunica normalmente, pero pensamos que con sus niveles cerebrales no podemos confiar en su juicio. Necesita tratamiento.

–¿Y tengo que decidir yo?

–Los protocolos del hospital así lo indican. Usted es su pariente más cercano.

Cuelgo. No me gusta lidiar con robots y mi decisión de tomar un taxi saliendo de la estación, esperando que fuera lo más rápido, fue un desastre. Estoy parada en Viaducto. Tal vez debí tomar el metro, pero en los días de lluvia nada funciona como debe. El tráfico es terrible, peor que nunca. Me tomará una hora llegar al hospital, lo que sería impensable en una ciudad totalmente digiteligente, donde cada sección trabaja como parte de un sistema de relojería bien calibrado. Pero la CDMX está estancada entre el futuro y el presente. Las calles se han adaptado para los nuevos transportes por superconductores y los coches sin conductor, pero la lluvia por la noche todavía entorpece la vida. Ni siquiera puedo confiar en que mi conexión durará todo el camino. Así que en los momentos cuando la red me lo permite, le pido a Gary que mande mensajes a Abby y a mi jefe.

Les digo dónde estoy, qué está pasando, que estoy bien, que mamá me espera en el hospital, pero no que necesitan operarla y que tengo que decidir su destino. No lo digo porque ya sé cuál es la decisión que voy a tomar.

* * *

La primavera anterior vi a mamá físicamente por última vez. Durante un proceso de rutina descubrieron que su vesícula tenía un tamaño preocupante, una deformación incontrolable que había dejado avanzar a pesar de las alertas de sus sensores. Después del diagnóstico, viajé a la CDMX para acompañarla durante las consultas y la operación.

El procedimiento salió bien y en dos días mamá estaba ya descansado en su casa. Estaba fuerte, recuperándose con cada día. Hablaba de cómo después de esta experiencia había pensado en ponerse a viajar de nuevo. No lo haría, las dos lo sabíamos. Tres años atrás viajó a Europa, pero sufrió un ataque de pánico que la regresó dos semanas antes a casa. La digiteligencia y lo desconocido ya no la emocionaron, sino que la abrumaron. Sin embargo, a pesar del pánico y de la operación, a los noventa y siete años la sentía llena de planes.

—Estaba pensando el otro día que cuando nací, la expectativa de vida eran noventa años, lo más que una persona podía vivir eran ciento veinte años —me dijo tranquilamente, como si estuviera hablando del clima. Al día siguiente yo regresaba a Nueva York y estábamos haciendo de comer sin ayuda de brazos robóticos, como hacíamos cuando era niña—. Pero aquí estoy con noventa y siete, veinte años mayor que mi madre cuando murió, con una nueva vesícula y todo parece estar bien.

—¿Eso has estado pensando?

A los cuarenta y tres estaba en plena juventud y pensaba poco en la edad. Mis sensores detectaban cualquier signo de enfermedad años antes de que apareciera y si los tratamientos preventivos no funcionaban, podían cambiar órganos enteros, como lo hicieron con la vesícula de mamá.

—Esta cosa que me pusieron…

—Es un órgano, mamá, no una cosa.

—Estaba pensando lo poco normal que es, que te enfermes y te cambien de cuerpo como si fueran calcetines. ¿Y qué si tengo deformaciones? Ya viví noventa y tantos años… Por supuesto que voy a tener deformaciones. A veces veo las fotos de mi madre y me doy cuenta de que casi no tengo arrugas o manchas y la recuerdo a ella antes de morir y pienso, ¿qué tan normal es esto?

—Es normal ahora. Cuando la abuela estaba viva, la gente todavía se hacía vieja.

—La gente todavía se hace vieja, Ani. Lo he pensado desde que salí del hospital. No sé si quiero que me desmantelen poco a poco, si quiero morir como un compendio de órganos y piel que no son míos. Tal vez quiero morir con este cuerpo, con esta piel, en mi casa, con dignidad, no abierta en un hospital.

Bajé el cuchillo. La cocina de repente se sintió demasiado caliente. Lo que menos quería discutir era la muerte de mamá.

—Mamá, lo que pasó fue un susto. Pero si te cuidas puedes vivir muchos años más. Ahora la vida es larga.

—Pero ese es el problema. La vida parece que se ha vuelto larga, pero en realidad la vida siempre parece larga cuando eres joven y muy corta cuando ya la has vivido. Ahora en algún momento hay que decir basta, hay que decidir que fue suficiente.

Respiré profundamente.

—Bueno, pues trata de no decidir eso pronto.

—Solo quiero que sepas lo que quiero. Lo he pensado y hablo en serio. Cuando llegue el día que la opción sea cambiarme entera o soltar… Quiero que me dejes ir en este cuerpo, aquí, en este departamento. No tienes que verlo, pero quiero que me permitas hacerlo.

Primero me negué, se estaba adelantando, quedaban muchos años, no debería estar pensando así, como una vieja. Pero al final acepté, le dije que haría lo que ella quisiera.

Nunca pensé que el día llegaría tan pronto.

* * *

Llego al hospital cerca de la medianoche. Lleno todos los formularios de salida, aceptando las consecuencias de nuestra decisión. El doctor se sienta a hablar de la condición delicada de mamá, de que existen ahora procesos que pueden asegurar que se recuperará, que vivirá diez, veinte años más. Pero la decisión que estoy tomando no le asegura tiempo.

En este momento, en la pequeña oficina, preferiría que el doctor fuera un ser humano y no una máquina. A pesar de que su cuerpo se ve humano para tranquilizar a los pacientes, sus gestos son mínimos, sus ojos están fijos, no respira. En este momento me gustaría que la persona que me dice que estoy condenando a mamá, respirara. Es más, no quiero que me diga que estoy eligiendo su muerte porque en realidad la está eligiendo ella, yo solo soy la que firma los papeles. Quisiera explicarle al doctor que mamá no quiere seguir cambiando de órganos, no quiere que la hagan pedazos y la regeneren, quiere morir en el cuerpo que tiene, quiere morir una *muerte digna* en su cama, lejos del hospital. Pero los doctores artificiales no entienden eso, no están programados para entender que alguien elija morir. Están programados para curar, para asegurar la vida. No para consolar a los parientes.

El doctor me muestra el expediente de mamá, en el que falta información en los últimos meses. Reconozco las fechas. Apagó sus sensores y desconectó su casa de la red el mismo día que volví a Nueva York. Ya había decidido lo que quería antes de su caída. La enfermedad pudo haber comenzado en cualquier momento de los últimos meses, desarrollándose silenciosamente, sin que nadie la notara. Así que realmente no estoy decidiendo nada. Mamá eligió desde hace un año, mamá sabía las consecuencias de apagar los sensores, mamá…

En cuanto la veo, sé que todas las llamadas de los últimos meses han estado llenas de mentiras. ¿Cómo no me había percatado de que se veía tan pequeña, de que sus manos temblaban, de que buena parte de su cabello se había caído, de que su piel parecía quedarle grande a su cuerpo? Olvidé, o no quise recordar, que lo que muestra un escenario de llamada no representa la realidad, sino lo que uno desea. No puedo creer que la mujer sentada en la silla de ruedas, en pijama y bata, es mi madre. Me abraza de regreso y es un abrazo fantasma, solo sus brazos sin peso sobre mi espalda. Cuando habla, reconozco su voz. Es mi madre, pero ¿cuánto tiempo lleva así?

Agradezco a los doctores y empujo la silla de ruedas hasta el taxi que nos llevará al departamento. Durante el trayecto, mamá se apoya en mi hombro y cierra los ojos. Habla de la comida del hospital, de los doctores que insistían en que debían operarla y de lo mucho que le da gusto que esté aquí. Yo no puedo dejar de pensar cómo es que un ser humano puede existir sin tener peso. La siento tan liviana, tan fría, que si alguien me dijera que está llena de aire, le creería.

Me abraza y no sé quién se está acurrucando sobre quién. Si cierro los ojos por un momento, soy de nuevo una niña. Trato de no concentrarme en lo pequeña que se siente, en que sus huesos se sienten bajo su ropa, en que tiembla suavemente a pesar de las múltiples capas. Pero ella es la que me acaricia el cabello, como si fuera yo la que está enferma.

Quiero preguntarle si todavía está segura, pero no sé cómo decirlo sin que suene como que le estoy rogando que cambie de opinión. Antes de que decida las palabras exactas, suspira y su voz me llega como si le hubieran bajado el volumen:

—Gracias, Ani.

No sé qué me agradece, que estoy aquí o que estoy respetando sus deseos. No contesto. Me gustaría echarme a llorar y que me consuele, pero no lo hago. Llorar la muerte de mamá mientras todavía está viva, mientras me encuentro en sus brazos, no es lo correcto.

Pero, más tarde, cuando ella está dormida, me oculto en el baño, me hago bolita en el espacio entre el escusado y la tina y allí me doy permiso para llorar y admitir que en realidad no sé lo que es correcto.

* * *

—Explícame qué es un espacio de llamada.

Mamá estaba pasando unas semanas conmigo en Nueva York. Me había mudado a la ciudad cinco años antes y me emocionaba enseñársela cuando por fin me sentía cómoda en ella. Entonces vivía en un departamento digiteligente del tamaño de una caja de zapatos. No conocería a Abby hasta meses después, no me mudaría a su departamento, que mamá no conocería, hasta años después. Ella solo vería aquel espacio pequeñito donde Gary (por fin había ahorrado suficiente para tener mi propia IA) respondía a mis órdenes escritas en la pantalla de control y encogía el baño, desaparecía el área de cocina o agrandaba el área de dormitorio, para que cupieran dos camas.

Ese pequeño espacio era mío y gracias a la invención de los materiales inteligentes modificables, mamá y yo podíamos estar sentadas en una terraza, que en ese momento ocupaba la mitad del espacio del departamento, bebiendo *gin-tonics*, que había preparado el brazo robótico de cocina, para celebrar que el verano estaba a punto de comenzar. Pero mamá apenas había bebido del suyo, estaba más interesada en hablar de los espacios de llamada, como si fueran algo nuevo, no una tecnología de hace años.

—En lugar de hablar por proyecciones o a través de video, puedes crear un espacio de llamada para compartir con una persona. Una simulación tridimensional. Los involucrados en la llamada deciden cómo se ve. Es como encontrarte en el mismo cuarto con alguien, no puede haber contacto físico, pero el resto de las sensaciones son iguales.

—Tú y yo deberíamos tener uno. Vienes muy poco a visitarme y siempre estás ocupada. Y yo sé que tu trabajo es importante y que si estás comenzando tienes pocas vacaciones, pero doña Carmela no deja de decir lo real que se ve.

—Pues sí, es una mezcla entre una inmersión 3D y una llamada telefónica.

Mamá sonrió y bebió un sorbo de su bebida. Tal vez no le había gustado, tal vez debía pedirle a Gary que preparara otra cosa.

—He estado pensando cómo podría ser el nuestro.

—La jubilación te ha dejado con mucho tiempo.

Sabía de memoria las dimensiones del cuarto; quería una alfombra roja, brillante como la del antiguo departamento cuando era nueva y no estaba manchada. Los mismos cuatro sillones de cuero oscuro que heredó de su madre, la mesa de centro de madera clara a juego con las otras dos mesitas al lado de los sillones. Todo acomodado hacia la televisión.

—No necesitamos una televisión. Podríamos poner unas ventanas. Podríamos poner solo luz alrededor. O un paisaje. ¿Alguna campiña europea que ya no existe?

—No, no. Quiero la sala de la casa. Con sus paredes blancas, y sus ventanas grandes a un lado y la televisión vieja que nunca encendíamos. Quiero todo tal como estaba cuando llegué a vivir allí contigo.

El hielo de mi bebida se había derretido y el calor de la tarde comenzaba a sofocarme, mi cuerpo parecía haberse fundido a la silla. Podíamos comenzar a discutir qué íbamos a cenar, tal vez podríamos salir a algún lado. Dejar los espacios de llamada para después.

—¿Por qué esa sala en especial? Al final vendiste todos los muebles.

—Los vendí porque estaban ya demasiado viejos. Pero fue el primer lugar seguro para ti y para mí. Los muebles de mi madre, el viejo departamento. Es donde me gustaría encontrarme contigo.

Esa noche, mientras mamá dormía, me senté en una mesa donde una hora antes estaba la cocina y creé el espacio de llamada. A la mañana siguiente lo probamos juntas. Yo de pie en el pasillo, mamá dentro del departamento. En un parpadeo nos encontramos frente a frente en la sala de mi infancia y mamá hizo ademán de abrazarme antes de recordar que era lo único que no podía hacer.

—Es increíble. Es como estar allí otra vez.

* * *

Al entrar al departamento, mamá me pide que no lo reconecte a la red, dice que desde hace meses ya no quiso vivir con ese ruido, que solo la usaba para hablar conmigo, dice que ya no podía concentrarse en ordenarle a las lentillas y mejor había comenzado a usar una pantalla. Pero no se ha quitado las lentillas, las reservaba para verme.

Desactivo toda comunicación con Gary y cuando entro a la casa resisto la urgencia de conectarme al sistema para abrir las ventanas o encender la luz. Lo hago solo en breves momentos de los siguientes días cuando tengo que modificar los cuartos para cubrir las necesidades de mamá. Convierto el sillón del estudio en una cama, coloco manijas en el baño para que mamá pueda ir sola, hasta que ya ni siquiera tenga fuerza para levantarse por sí misma y tenga que ayudarla.

A la mañana siguiente cuando hablo con Abby me dice que mejor la lleve a Nueva York, que regresemos juntas, que puede conseguir que la traten los mejores doctores en casa con los métodos menos intrusivos. Así podría volver al trabajo y no gastar días de vacaciones. Pero digo que no, porque sé que mamá no quiere que la picoteen, que la abran y cierren durante los siguientes meses, cambiando sus órganos uno a uno, limpiando su sangre litro a litro, conectada a una máquina hasta que su cuerpo decida por fin que no puede más.

Mamá se debilita rápidamente frente a mis ojos, como si desde el momento en que salió del hospital y eligió una *muerte digna*, aquello que mantenía su cuerpo junto, como un ser vivo, comenzara a desintegrarse. La he oído repetir la misma frase, *una muerte digna*, muchas veces desde que llegué, pero todavía no entiendo su sentido. ¿Qué hay de digno en elegir morir? ¿En no luchar? ¿Dónde está la dignidad en morir en tu cama? Me hago estas preguntas cada vez que la ayudo a ir al baño, le preparo la comida, le leo y la escucho dormir desde la cocina.

Esto, esta debilitación progresiva, es lo que ella quiere, hacerse cada vez más pequeña, como si estuviera sufriendo un proceso de encogimiento. Me dice que tiene frío, hambre, sueño y en algún momento nuestros papeles se invierten, no sé quién es la madre y quién la hija. Pero una mañana, después del desayuno, antes de que tenga que ayudarla a bañarse, suelto la pregunta.

—¿Estás segura, mamá? ¿No quieres que vayamos a mi casa?

Mamá se encoge un poco, como si la idea le causará un dolor físico, y después niega con la cabeza. ¿Cómo puedo dejarla decidir esto ahorita? Lo que está haciendo, lo que yo le estoy permitiendo, parece un estilo de suicidio aceptado. Está enferma en una época en la que la enfermedad no existe, está dejando que su propio cuerpo se rebele, se salga de control.

—¿Y si vamos a la peluquería? —me dice para cambiar de tema, sin contestar—. Me gustaría hacerme las uñas, que me retoquen el cabello.

Su voz es un hilo de lo que era antes. Asiento y mientras está en el baño, llamo al salón de la esquina al que va desde hace diez años para hacer una cita.

Pasamos el resto de la mañana entre el olor a acetona y los chismes de la cuadra. Mamá se ríe y se me queda grabada su cara, cansada pero feliz, bajo las luces amarillas del salón, con su poco cabello agarrado y lleno de un producto morado. Es la última vez que la oigo reír. Es la última vez que sale del departamento.

* * *

Mamá dijo que no quería viajar a Nueva York para Navidad. Dijo que entendía que no pudiera dejar el trabajo para ir a México, pero que no quería volar. Le dije que podría tomar un Hyper, que no es como volar, que se siente totalmente diferente, pero tampoco quiso hacer eso.

—No quiero que pases Navidad sola.

—Doña Carmela me invitó a su casa. No voy a estar sola.

No me convenció del todo. Muchas veces tenía la sensación de que no me decía la verdad, que me contaba una versión editada de lo que le pasaba. Pero, ¿de qué iba a acusarla si no podía ni hacer tiempo de ir a pasar Navidad con ella?

—¿Segura que estás bien?

—Todo está bien, Ani. Solo estoy cansada. Tú sabes cómo es el invierno aquí. La gente se enloquece. Ni puedo ir al cine, no hay un solo coche automático libre en toda la ciudad.

Por primera vez me pregunté si sería la mente de mi madre, y no su cuerpo, lo que daría de sí primero; si a pesar de todos los avances, a pesar de que preserváramos el exterior intacto, habría algo en el interior del ser humano que se cansara, algo todavía no identificado e incurable, algo que no pudiera contener el tiempo vivido, que se nos desbordaría por dentro hasta que existir se volviera insoportable.

Esa semana me costó trabajo concentrarme en el trabajo a pesar de estar muy ocupada. Sentía que debía ir a ver a mamá, que algo no estaba del todo bien, pero acababan de ascenderme, me habían encargado supervisar un nuevo complejo de invernaderos y no podía irme. Necesitaba estar en Nueva York. Hay cosas que todavía tienen que hacerse frente a frente, la gente necesita todavía estar frente a otro ser humano y no una máquina al firmar un contrato de negocios o al pedir y dar mucho dinero.

Pero durante la siguiente llamada, mamá se oía mejor. Me habló de las películas que había visto recientemente, de la gente que se había encontrado en el gimnasio y de que se había apuntado para tomar una clase de alemán, para cuando se decidiera a viajar. No le dije que si no podía tomar un Hyper a Nueva York, no viajaría a Alemania. No quería volver a hablar del tema. Creo que me daba miedo ver a mamá tan cansada. No quería pensar si algún día yo sentiría lo mismo.

* * *

La noche en que mamá muere, cenamos juntas en su cama, lo cual significa que yo la animo a comer el puré cucharada a cucharada mientras mi comida se enfría en el escritorio. Mamá ya no insiste en que comamos juntas en la mesa del comedor, está tan débil que le cuesta trabajo incorporarse. A veces me da la sensación de que está, pero no está, como si solo quedara un cuerpo casi vacío que duerme, se queja y come. Otras veces, me toma de la mano con una fuerza impresionante y me obliga a permanecer sentada a su lado, me pide que me quede un poco más y le lea un rato.

Cuando se duerme, apago la luz, salgo con los platos y dejo la puerta del estudio a medio cerrar. Desde hace semana y media ronca mientras duerme y el sonido grave llena la casa entera. Al principio hacía que aguantara la respiración entre cada resoplido, pensaba que en cualquier momento se detendría, pero ahora se ha convertido en parte de la casa. Enciendo la computadora y pongo algo de música clásica. Trabajo con los audífonos puestos por dos horas, pero no puedo evitar colocar la música suficientemente baja como para poder escuchar a mamá entre el sonido del piano.

Cuando me canso del trabajo a distancia, de la tarea monótona de revisar un presupuesto en busca de erratas antes de enviárselo a mi jefe para la reunión que tendrá en unas horas, me quito los audífonos y me hago una taza de té. La presencia de Gary me hace falta muchas veces al día, pero para algunas cosas ya no lo necesito. No sé ni siquiera cuándo fue la última vez que chequé mis propios niveles de salud.

Mientras el agua hierve, voy al baño y me miro al espejo. Estoy más delgada, tengo ojeras, mi piel está más pálida que nunca. Tal vez la enfermedad de mamá se me ha metido dentro. Sé que es imposible, que no es contagiosa, que lo que ella tiene es vejez. Pero, ¿quién se hace viejo ahora realmente? Solo mi madre.

Regreso a la cocina. Coloco el agua en una taza con una bolsa de té y me siento en la mesa para leer. Los libros nunca fueron lo mío, pero leerle a mamá en voz alta ha cambiado mi percepción. Leo libros que se escribieron hace cien, doscientos, trecientos años. Uno tras otro. Creo que estoy buscando formas de entender la muerte, de entender cómo debo sentirme, cómo pensar sobre lo que está pasando. Tal vez no entender es culpa mía. Nunca pensé mucho en la muerte. Cuando era pequeña, me daba curiosidad, morbo, pero siempre estuvo lejos y nunca fue una posibilidad real.

En el pasado, cuando la muerte era normal, debían saber cómo sentirse, cómo afrontarlo. ¿Se hablaba antes más de la muerte? ¿Estaba la gente más preparada? Debían estarlo. Cuando las enfermedades eran comunes, debía haber formas mejores de lidiar con ellas que la espera y el silencio en el que me encuentro. Abro el libro, pero no puedo concentrarme. Hay demasiado silencio. Aguanto la respiración. No puedo levantarme para cerciorarme. Me quedo sentada, esperando el siguiente ronquido.

El silencio se extiende.

Me levanto y salgo del departamento. No puedo respirar. Inhalo y exhalo con rapidez, como si la velocidad fuera a anular el ahogamiento. Cierro la puerta detrás de mí. El portazo reverbera en la noche. Su cuerpo se queda del otro lado y una desesperación nueva oprime mi estómago. Afuera el mundo está vivo, el aire huele a tierra y banqueta mojada. Adentro está mamá. ¿Cómo puede solo una puerta separar ambos lugares? Cierro los ojos y trato de acceder a nuestro espacio de llamada.

Algo me lo impide. Es como si hubiera una barrera, una pared, o peor… como si no existiera. Lo intento de nuevo verbalizando mi deseo en mi mente. Luego uso un gesto de la mano y finalmente le ordeno al aire:

—Llamar a mamá.

De nuevo encuentro una barrera y entonces aparece el mensaje:

LA PERSONA QUE BUSCA NO ESTÁ DISPONIBLE.

Las letras rojas brillan contra la puerta de doña Carmela y la noche. La sala de mi infancia, mi madre, me son inalcanzables. Apago las lentillas y el mundo se queda en verdadero silencio. En mi campo de visión solo está la realidad, el pasillo entre departamentos, la ventana abierta, el aire de la noche.

En proceso

100% Sentience

75% Self

50% Memory

Starting Upload

1% TRANSFER

Todavía no he muerto, es mi primer pensamiento al despertar.

Entonces, las náuseas. El cuerpo que duele. Abrir los ojos. Demasiada luz. ¿Por qué nadie ha venido a tomarme la presión? Me incorporo. ¿Cómo llegué aquí?

En el cuarto solo hay una cama, la misma en la que he dormido desde que llegué al hospital. No hay rastro de la mesa, del sillón, del florero que la enfermera trajo ayer. No hay ventanas. No hay puertas. No hay ninguna salida.

Al mover los brazos no me duelen las articulaciones o el cuello. Los pitidos, pasos, quejas normales del hospital han desaparecido. Se siente como si no existiera nada más allá de este cuarto. ¿Dónde están las enfermeras? Grito. Hola, alguien, dónde estoy. Mi voz no hace eco, el silencio cae pesado cuando mi voz desaparece. ¿Hola? Hola. ¡Hola! Los gritos se enciman uno sobre otro hasta que las palabras pierden sentido, se convierten en desesperación sonora.

¿Dónde estoy?

Lo que recuerdo:

Mi nombre es Andrea Chapela. Estaba en el hospital espe-rando (no recuerdo desde hace cuánto) una Resurrección Asis-tida. La enfermera (no recuerdo su nombre o su rostro, solo sus manos frías que olían a jabón) me tomó la presión anoche y me dijo que tenía la respiración errática, pero ahora respiro bien. De hecho, no he respirado tan bien en años. Me quedé dormida mientras esperaba morir. Luego, desperté aquí.

Cuando me calmo, busco algo familiar. Observo mis manos. Hay algo extraño en ellas. Miro las palmas. No hay arrugas ni manchas, no hay ninguno de los signos de edad a los que me había acostumbrado. Y aun así las manos se sienten mías. Reconozco los lunares y las cicatrices de esa vez que me quemé con un sartén o cuando me caí y me corté al lanzar una botella al mar. Como no hay un espejo, toco mi cara. Recuerdo usar lentes, pero también recuerdo no usarlos. La piel se siente tersa bajo mis dedos.

La única conclusión que tiene sentido es que en algún momento de la noche mis signos vitales se dispararon y la RA comenzó antes de que despertara. Eso quiere decir que no he vuelto a despertar, ya no estoy en el hospital.

Estoy en lo que llaman tránsito. Suspendida entre un cuerpo y otro. Ahora mismo, en algún lugar del hospital, Andrea Chapela está muriendo y Andrea Chapela está naciendo de nuevo y yo soy la Andrea entre ambas.

¿Cuántas Andreas pueden existir a la vez? ¿Qué pasará conmigo cuando la nueva Andrea despierte?

Me levanto y cuando piso el suelo una de las paredes se enciende.

Vamos por partes: no soy real. No como era real antes, cuando tenía un cuerpo y estaba muriendo. Soy una proyección de una conciencia en tránsito y esto es una especie de limbo.

No sé cómo debería sentirme al respecto. ¿Triste? ¿Desesperada? ¿Enojada? ¿Confundida?

No soy real. Lo digo en voz alta. No tengo cuerpo. Decirlo me da cierta tranquilidad. Explica muchas cosas. Los recuerdos fragmentados, el cuerpo que ya no me duele, mis manos sin arrugas, que me sienta como si tuviera veinticuatro años. ¿Toda la gente tendrá veinticuatro años aquí? ¿O solo yo?

¿Por qué estoy aquí otra vez? ¿Qué tengo que hacer? ¿Esperar o actuar?

Aunque ya no estoy pisando el suelo, la pared sigue iluminada. Observo las barras de luz deslizarse de abajo hacia arriba. Parece una pantalla inteligente. Me acerco a ella. Toco la superficie y está fría, pero no reacciona ante mi roce. Recuerdo cuando tenía diecinueve años y proyectaba películas en la pared blanca del jardín para verlas con mi novio, pero en este cuarto no hay proyectores. Doy un paso atrás. Las líneas se engruesan hasta que la luz cubre toda la pared, entonces se condensa en un punto. Parpadea y aparece mi rostro. Observo la imagen, pero no corresponde a la cara de la mujer de setenta y dos años que vi anoche en el baño. Esta es una cara que solo queda en fotografías: yo a los veinticuatro años justo antes del accidente en el que morí por primera vez.

¿Por primera vez? Pensarlo con cuidado me hace recordar. Se siente natural, recordar, a pesar de que estos recuerdos no estaban allí hace un momento. No es la primera vez que muero, no es la primera vez que he estado aquí, pero no lo recuerdo. No recuerdo muchas cosas (si soy honesta no recuerdo los últimos años, no recuerdo envejecer). Todo está borroso, hasta el hospital, hasta este cuarto.

Estoy sentada en la cama, la espalda apoyada en la pared. De repente recuerdo a mi padre. Siempre me regañaba por recargarme en paredes frías. Decía que mis pulmones, el aire en su interior, se enfriarían. Trato de recordar algún momento específico, pero me cuesta trabajo. ¿Cómo era su cara? ¿Cuándo fue la última vez que lo vi?

Mi rostro en la pantalla desaparece. La luz parpadea de nuevo y luego se estabiliza.

Lo que sé sobre el procedimiento:

El primer caso de resurrección asistida fue en 2011.

Todavía no se consiguen copias perfectas. Sin lagunas.

Actualmente, 72% de las personas eligen pasar por el procedimiento.

Para ser admitido, no puedes haber tenido hijos.

Solo 48% son elegibles al morir.

No se sabe por qué no siempre funciona, pero solo el 30% despierta.

Un cuerpo artificial no puede reproducirse.

Aunque algunas personas han tratado una segunda R A, nadie ha sobrevivido al tránsito más de una vez. Hasta ahora.

En la pantalla, un recuerdo:

Mi papá, mi primer y único padre, sonríe. Su pelo cano y chino, ondulado y plateado después de que lo peinara con un cepillo de cerdas gruesas. La barba poblada arreglada, recién cortada. Trae el saco de terciopelo para ocasiones especiales. Volver a vernos después de mi primera RA es una ocasión especial. Yo soy una niña de nuevo y él ya un abuelo. Lo abrazo en cuanto entra y él me sienta en su regazo. Antes, durante mi primera adolescencia, me sentaba en sus piernas y él me decía: "Antes eras de este tamaño, cabías aquí en mi pecho". Ese día me dice: "Otra vez puedes dormir acurrucada en mi panza".

No recuerdo quién lloró primero.

Me siento en el suelo frente a la pantalla. Siempre me ha gustado sentarme en el suelo con las piernas cruzadas. De niña y adolescente era muy torpe (las dos veces) y sentarme así me daba seguridad. Si estoy ya en el suelo, no puedo caerme.

Pocas personas han intentado un segundo tránsito y nadie lo ha completado. Mi presencia aquí debe de ser una señal de que está funcionado. Tal vez estoy aquí para decidir si logramos cruzar. Tal vez por eso hay gente que no despierta, que decide no cruzar.

No recuerdo por qué decidí intentar una segunda RA. Quiero entender por qué decidí arriesgar, por qué esperar la muerte en un cuarto de hospital en busca de un procedimiento que podía no funcionar. ¿No había otra manera de pasar nuestros últimos años?

Comienzo un ejercicio de memoria. Pienso en la gente que recuerdo de mi primera y segunda vida, pienso en momentos precisos y los recuerdos aparecen en la pantalla. Es más fácil entenderlos así, proyectados y ajenos. Hay huecos, algunos por la primera RA, que nunca sanaron, otros porque la carga no se ha completado.

Recuerdo el hospital, recuerdo un hombre en los últimos años, su abrigo negro, su sonrisa cálida, pero no su rostro. Recuerdo mi primera adolescencia más claramente que la segunda, pero mi vida adulta tiene huecos.

Paso de mi padre a mi madre, a mis hermanos, a mis amigos, a rostros que no reconozco, a gente que debería recordar, pero no sé de dónde salen, cómo entender quiénes fueron para mí. Paso por esos rostros cada vez más rápido, tan rápido que las caras se desfiguran entre sí, se mezclan y cuantos más momentos paso, más lejanos se sienten, menos conocidos, menos presentes, menos los entiendo. Menos los recuerdo.

En la pantalla:

Una librería de viejo en Donceles. Una voz familiar entre los libros. Dejo de buscar en la estantería y me vuelvo para verlo. Abrigo negro, cabello antes oscuro ahora cano, arrugas. El tiempo nos ha marcado a ambos, pero lo reconozco y, cuando lo llamo por su nombre, él se gira y me reconoce. Me abraza como se toma a algo que puede desaparecer o romperse o esfumarse enseguida y por largo rato, para sorpresa del dependiente, no me suelta.

Los recuerdos se acumulan. Tal vez es más fácil transferirlos cuando ya hay una base. La mente comienza a conectar, a entender y el proceso se acelera, la mente succiona la información, hambrienta por llenar todos los huecos. ¿No hace eso siempre? ¿Rellenar los blancos, inferir el siguiente movimiento, adelantarse a la realidad? Ahora puedo acomodarlos, ponerlos en el orden que desee. Hay tantas posibilidades. En orden cronológico, por persona, por lugar, por duración. Puedo mapear ambas vidas. Siento como cuando era adolescente la primera vez y comenzaba a escribir. Al mover una escena, todas las demás caen en su sitio y comienzo a apreciar la historia completa. Si le pongo orden a mi vida, ¿podré descubrir por qué decidí cruzar, qué sucedió en mi primer tránsito, cómo hacer para cruzar de nuevo?

Pero, ¿quiero cruzar de nuevo?

En la pantalla:

Vacaciones en la playa. Acostada bajo el sol releo *El conde de Montecristo*. Todavía estoy tratando de imitar mi otra vida. Tardé muchos años en abandonar el deseo de recrear cada recuerdo, pensaba que si seguía los pasos de esa otra Andrea, llegaría al mismo lugar, podría sentirme feliz como recordaba que había sido, como no me sentía. Es la primera vez que voy a la playa, que veo el mar, que paso horas tumbada bajo el sol; la primera vez que se me permite viajar con mis padres, los primeros, ya ancianos, ya abuelos y de nuevo padres.

Por la noche, me observo en el espejo del baño como lo hice también muchos años antes cuando me di cuenta de que mi cuerpo estaba cambiando. Entonces, después de jugar con mi hermana toda la tarde, descubrí mi reflejo y pasé mucho tiempo observándome, torciéndome frente al espejo, queriendo ver cada ángulo, cada cambio, cada pedazo de piel blanca o bronceada, estirada sobre un cuerpo que crecía, se redondeaba.

Ahora de nuevo tengo doce años y mi cuerpo está cambiando. Pero la experiencia es irrepetible. No veo el proceso; en los incipientes cambios ya veo las caderas, los senos, el vello que tendré. No me sorprenden. No pueden sorprenderme porque no puedo mirarme y decir "esta soy yo" con la impresión de un reconocimiento. Ya sé a dónde llevará esta transformación, pero no sé qué quiere decir ser yo, ni cómo reconocer este cuerpo artificial, tan parecido al anterior, que se siente ajeno porque nunca usaré lentes, porque no tengo la cicatriz debajo del mentón de cuando un perro me mordió, porque nunca he usado aretes o bailado *ballet* o jugado con mi hermana menor, ahora tanto mayor que yo. Me arrepiento de haber querido repetir lo irrepetible y aun así seguiré haciéndolo. ¿Cuánto dolor me causé al buscar revivirlo todo?

Lo que sé sobre Andrea Chapela:

La primera vez que murió tenía veinticuatro años.

La segunda vez, tiene setenta y dos años.

Fue el quinto caso exitoso de RA en el mundo.

Su color favorito fue el verde y luego el naranja.

Su regalo favorito fueron unos aretes de perlas.

Sus padres se los regalaron las dos veces que cumplió quince años.

Quiso ser química. Quiso ser escritora.

En su segunda vida no fue ninguna de las dos.

Vivió como un experimento exitoso, en constante observación.

Se arrepintió del procedimiento.

Lo que no sé sobre Andrea Chapela:

Todo lo que me concierne. Todo lo importante.

Tengo hechos y recuerdos, pero no entiendo el razonamiento, los sentimientos que nos trajeron aquí. ¿Habría Andrea hecho algo distinto al saber que llegaría aquí, que me enfrentaría a nuestra vida para completar un deseo que no entiendo? ¿Habría arriesgado más, vivido más, perseguido los sueños de la primera Andrea sin miedo? ¿Por qué volver cuando sufrimos tanto? No sé por qué quiere enfrentarse a ese dolor, a tratar de repetir lo irrepetible.

Tampoco sé en dónde estoy en el mundo físico. ¿Estaré dentro de un procesador, en un cuarto con temperatura controlada, entre montones y montones de otras conciencias zumbando y parpadeando? ¿Estaré en una memoria bioelectrónica en algún cuarto desde el que pueden monitorear el ritmo de cruce? No sé cuál es el mecanismo por el que existo, no sé cuál es la razón por la que estoy aquí con esta pantalla. ¿Soy un reflejo mental para mirar atrás? ¿Una representación física de la vida pasando frente a mis ojos? ¿Una manera de poner orden? ¿Juez y parte de esta decisión? ¿Tengo poder de decisión sobre el tránsito? ¿Se supone que haga algo, resuelva algo?

O solo soy un remanente de conciencia, un yo secundario y accidental, solo un imprevisto y no hay una razón para que esté aquí.

En la pantalla:

Mi cumpleaños catorce. Mi primer cumpleaños catorce. Es la primera vez que pasé una tarde en un centro comercial sin supervisión adulta, solo con mis amigos. Comí dulces y me reí hasta que me dolió la panza, el plan era ver una película, pero preferimos dar vueltas retándonos unos a otros. Eran retos sin ninguna consecuencia: a que no vas y te robas unos sobres de azúcar, a que no te comes todo el paquete de chicles, a que no le hablas al chico de la dulcería en alemán, a que no regresas el saludo de toda la gente diciéndoles que es tu cumpleaños. Siempre te fue difícil no tomar un reto una vez que estaba frente a ti, no lanzarte de cabeza, calcular rápidamente las posibilidades de fallo, no hacer caso a tu sentido común, obedecer las ganas en tu estómago y lanzarte. Llevabas la curiosidad a ras de piel. Como en esas vacaciones donde, medio bebida, decidiste besar un sapo a ver qué pasaba o cuando les robaste dinero a tus padres o cuando a los dieciocho años te quedaste despierta hablando con un amigo toda la noche, a pesar del sueño, a pesar de que la conversación no era interesante, solo para ver cómo se sentía, qué pasaba.

¿Es eso lo que nos trajo aquí? ¿Estamos empujando hacia el futuro? ¿No has tenido suficiente?

¿Cómo sería el primer limbo? ¿Serán todos iguales? ¿Habrá mi subconsciente creado algo más interesante que un cuarto vacío la primera vez?

Imagino un jardín amazónico, un tren a alta velocidad y el paisaje borroso por la ventana, un café parisino, un microcuarto en Tokio, incluso la sala del primer departamento donde viví sola, con su sillón rojo, sus cuatro ventanas, por donde veía los días de otoño con el cielo azul y los árboles naranjas. Nunca había visto nada parecido. Me sentaba allí y observaba a las ardillas corretearse en el jardín, le escribía a mi novio de adolescencia correos que nunca enviaba y cada día se sentía larguísimo, pero el tiempo pasaba rápido y el invierno se aproximaba. Muchas veces en mi segunda vida soñé con ese departamento, me parecía que la persona que había vivido allí era feliz y yo, la segunda yo, quería ser así de feliz, quería entender cómo ser así de feliz. ¿Era pura idealización? ¿No es el pasado siempre más feliz? ¿Cuántas veces se puede vivir antes de aceptar que esto es, esto es todo lo que nos tocó vivir, no hay más oportunidades, lo hemos perdido todo, lo hemos sentido todo y ha sido suficiente?

En la pantalla:

En la sala del psiquiatra, estoy sentada en un sillón azul oscuro, hablando de mi progreso con un cuento que llevo semanas escribiendo, pero que no lleva a ningún lado. En mi segunda vida comencé a escribir a los diecisiete años, a escribir en serio, con un horario, sentándome todos los días, pero no avanzaba. Le digo al psiquiatra que las circunstancias son muy distintas. No es verano, sino otoño, no estoy escribiendo, como la primera vez, una novela de aventuras para mis amigos, sino un cuento corto para mí misma, que no quiero enseñarle a nadie. Todos los días comienzo desde cero, a primera hora, nada más despertar, me siento y trato de escribir algo importante, algo serio, algo que solo yo, que sobreviví una RA, puedo escribir. Entonces todavía sufría disociación, todavía me levantaba algunos días pensando que tenía veinticuatro años y tenía que dar clase de español, otros creyendo que tenía diecisiete en mi primera vida y llegaba tarde a la preparatoria.

Ese día, hablo por primera vez con el psiquiatra de mis intentos de escritura, la frustración de estar bloqueada, mi miedo a que no podré escribir, a que perdí la oportunidad cuando no seguí los pasos de mi antigua yo. Él no puede aconsejarme, no hay datos suficientes para saber si la predisposición artística se transfiere de una vida a otra. Me recomienda que deje ese cuento, que escriba otra cosa.

No hice caso. Después de tres meses de intentos fallidos, lo abandoné y juré que no lo intentaría de nuevo. No valía la pena el dolor que me causaba sentarme todos los días a intentar escribir y que ninguna frase me gustara. No quería intentarlo de verdad y descubrir que el talento o las ganas o lo que fuera se había esfumado durante el tránsito. Pero volví a escribir. Lo recuerdo, antes de esta RA, en el hospital, recuerdo escribir cuentos, uno tras otro, con la urgencia de los que van a morir. ¿Me daría miedo volver a perder la necesidad en mi nueva vida? ¿Por qué cambié de opinión?

Mi primera RA comenzó con un accidente. Tenía veinticuatro años. No recuerdo el impacto. No recuerdo a dónde iba. Solo el dolor y las voces. No estaba en México. Llevaba algunos meses estudiando en Estados Unidos. Del tiempo antes del accidente solo tengo imágenes, como fotografías inconexas, la mayoría de mis recuerdos de esa época se perdieron durante el primer procedimiento. ¿Por qué marqué la casilla para donar mi cuerpo a la ciencia durante el papeleo de la orientación? ¿Leí con cuidado en lo que me metía? Marcar o no marcar la casilla para RA. No me di cuenta de qué estaba decidiendo, solo seguí el impulso, ¿por qué no marcarla? ¿Qué diferencia hacía?

Todavía estaba consciente cuando llegué al hospital y comenzó el procedimiento. Gracias a que doné mi conciencia, seis meses después desperté de nuevo. Tenía cuatro años. Un éxito, mínima pérdida de memoria, una segunda vida, el futuro al alcance del ser humano, pero los primeros diez años de mi nueva vida fueron un infierno.

Pero las cosas han mejorado. Si todo sale bien, la tercera Andrea tomará terapia hormonal de crecimiento acelerado, no pasará años confundida, aprendiendo a asociar dos vidas disociadas, no tendrá que medicarse para evitar trastornos psicológicos, no tendrá que estar bajo observación toda su nueva vida porque los resultados exitosos tienen que monitorearse con cuidado. O tal vez no. Nadie ha tenido una segunda transferencia. De nuevo seremos un caso de estudio.

¿Por qué pasar por eso otra vez, Andrea? ¿Tan desesperada estás por vivir una y otra vez?

Después de repasar nuestras vidas, si pudiera decidir, creo que no cruzaría.

En la pantalla:

Tengo dieciséis años por primera vez, es septiembre, estoy en un asilo de ancianos. Estoy sentada sola en el recibidor cuando él entra. Se acerca como si nos conociéramos de siempre, me pregunta si sé algo de los demás, y yo contesto que ya no deben tardar. Me pide mi celular para hacer una llamada y se lo doy. Desaparece por la puerta. No me entero de su nombre hasta el momento en que nos presentamos frente al grupo de ancianos cuando dice, como presentación, *detrás de este cabello estoy yo* y su nombre. Quedo encantada con la pinta despreocupada, con su cabello largo, negro y caótico que le cae sobre los ojos, con la breve conversación sobre Cortázar en el estacionamiento.

La siguiente vez que voy al asilo, él no llega.

59%

Detengo el recuerdo. Lo reconozco, pero no solo de mi primera vida, sino también de la segunda. Busco su rostro en mis recuerdos y lo encuentro en la librería de viejo en Donceles. En la pantalla los coloco uno junto al otro. A la derecha a los dieciocho años cuando lo conocí. A la izquierda a los setenta cuando nos reencontramos.

En la pantalla:

La noche que nos despedimos antes de que me fuera a Estados Unidos. Sentados en mi coche afuera de su casa. Es de noche. Llevamos varias horas hablando, llorando y abrazándonos. Me voy al extranjero, sé que necesito irme sola y él no puede vivir esperándome. Mi cabeza en su hombro. Un abrazo que no me atrevo a romper.

A veces siento que voy a buscarte el resto de mi vida.

Él dice que no me cree.

¿Lleva la vida siempre al mismo lugar? A pesar de la ciencia, a pesar del dolor, a pesar del tiempo, ¿habríamos terminado en el mismo lugar sin el accidente, sin RA, encontrándonos al final de nuestras vidas en el Centro, dándonos cuenta de que éramos un pendiente para ambos? ¿Cuál escenario hubiera sido la tragedia más grande? ¿Esta vida o esa posibilidad?

Lo que sé sobre él:

Murió hace ocho años.

Siempre estaba tarareando. Se sabía todas las canciones que ponían en la radio.

Antes le gustaba Hermann Hesse, después le gustó Thomas Bernhard.

Quiso ser filósofo, quiso ser músico, quiso ser matemático.

Sus padres decían que nada de eso daba dinero.

Logró que le creciera la barba después de los treinta y cinco.

El primer regalo que me dio fue una docena de panqués de nuez que él horneó.

Nunca entendió que me molestara cuando cambiaba los planes y no me avisaba.

Les enseñó a sus sobrinas a jugar avión, ¡basta! y ajedrez. Le gustaban los niños.

Se fue de México y trabajó en redes neuronales por treinta años.

Algunas líneas de los códigos que me mantienen con vida son suyas.

Él es la respuesta a qué hago aquí. Esta es una historia de amor o un intento de terminar lo interrumpido. ¿Vale la pena arriesgarse por una tercera oportunidad? ¿Arriesgar que el procedimiento de uno no funcione, que uno tenga que vivir de nuevo una existencia rota sin el otro? ¿Jugárselo todo? ¿Qué haces, Andrea? Sí, lo amaste dos veces, pero ¿eso te asegura una tercera? ¿Quién te dijo que esa relación sobrevivirá el tiempo, la distancia, otros cuerpos, nuevos recuerdos?

Será así:

Andrea despertará con cuatro años. Pasará por terapia hormonal. En tres años, cuando pueda reintegrarse a la sociedad, dejará el hospital. Él ya estará allá afuera, en un nuevo cuerpo, pero prometieron no verse hasta que su segunda transferencia fuera un éxito. La otra posibilidad era demasiado dolorosa. Ella se instalará en la Ciudad de México y después de unos meses, cuando se haya acostumbrado a la ciudad, lo buscará. Él ya sabrá que el procedimiento funcionó y la estará esperando. Si quiere volverla a ver, irá todos los días por la mañana a la librería de Donceles. Ella se armará de valor, irá al Centro, se encontrarán. Se reconocerán. No habrá dudas y de nuevo serán jóvenes y esta vez, por fin, esta vez funcionará, tendrán una vida entera juntos. Harán todos los viajes que imaginaron, vivirán juntos todos los años que quieran, se dirán todos los clichés: cómo se han buscado a través del tiempo, cómo se han esperado, cómo son el uno para el otro. Podrán saber por fin si eso que tuvieron, sobrevive a todo o si fue un amor nacido de las circunstancias, de haberse perdido y vuelto a encontrar.

Al menos esto es lo que imaginé todos esos años mientras esperaba.

La pantalla se llena de él, de los años que estuvimos juntos en la primera vida. Mi padre me dijo entonces que eso que estaba viviendo, el primer amor, el descubrimiento de la compañía, de la intimidad, era una etapa maravillosa, que la disfrutara. ¿Y lo hice? Seis años juntos. Luego me fui y tuve el accidente. Después vino una vida sin él, una vida donde redescubrir esas cosas ya no tuvo sentido, donde tuve que aprender que nada se puede vivir dos veces igual, donde pasé toda mi juventud no creciendo, sino como un experimento en espera del punto de inflexión, acostumbrándome a las consecuencias de un nuevo cuerpo. Qué libre me sentí cuando cumplí veinticinco años y ya no hubo más expectativas o más vidas, cuando por primera vez sentí que era yo misma de nuevo, una yo más rota, más confundida, más perdida, pero por fin yo. Y fue como si me diera permiso de vivir. Viajé, estudié, dejé de buscar "la primera vez" y encontré placer en otras personas, en otros recuerdos, en otros idiomas y otros países. Hasta que volví a México. ¿Fue ese día en Donceles un momento correcto en el lugar correcto? Regreso al recuerdo. Lo observo. Del joven que él había sido no quedaba mucho, pero de la primera Andrea, de la mujer que iba a ser, ese ideal que perseguía cuando me fui, no había rastro. Fuimos por un café y después traté de no buscarlo porque con él volvían todas las disociaciones. Pero no pude evitar la curiosidad de probar los límites entre una vida y otra, de conocerlo por mí misma y entre los mensajes y las salidas, nos reconocimos. Volvió la cercanía, la familiaridad y con eso pasamos rápidamente de conciertos a viajes, a mudanzas y a vivir la vejez juntos. Hasta que él enfermó, hasta que decidimos que necesitábamos más tiempo. Hasta llegar aquí.

79%

Puedo sentir todos mis recuerdos en su lugar. Mi memoria está completa.

Si mi memoria está completa, no puede quedarme mucho tiempo. Busco entre los recuerdos de la pantalla, el del primer limbo, pero no tengo recuerdos, ni siquiera lagunas, de ese momento. Esperaba que esos recuerdos me dijeran algo sobre mí misma, sobre por qué funcionó el primer procedimiento, sobre cuál es mi papel aquí, pero no hay nada. Ahora que lo sé, me parece casi obvio que cuando Andrea despierte, no recordará este momento. Todo lo que pasa aquí no es más que espera. Es menos que un sueño. De esto no quedará ningún remanente.

¿Si nadie me recuerda, existí de verdad? ¿Soy Andrea si ella no puede recordar el paso? Esto no es morir. Es algo como el olvido. Es que nadie te recuerde, ni tú mismo. Existimos contra reloj. No puede durar mucho más. Cuando termine la transferencia, cuando Andrea vuelva a respirar, entonces qué pasa conmigo. Dejaré de... ¿pensar? ¿existir? ¿soñar?

Nos preguntamos muchas veces durante esa segunda vida juntos si esos años eran todo lo que nos tocaba. Nos habíamos encontrado dos veces, tal vez eso tenía que ser suficiente, ¿valía la pena pasar por toda la disociación, toda la confusión, todo el riesgo por una tercera oportunidad que también podía fallar, que podría ser otro desencuentro? ¿Y si nuestra historia es siempre la de coincidir brevemente, marcarnos el uno al otro, luego separarnos?

Los últimos años sola, recuerdo el miedo. Pensaba una y otra vez en las promesas: nos querríamos siempre, nos buscaríamos siempre, nos encontraríamos siempre, pero no había manera de asegurarlo. Nada aseguraba que el procedimiento funcionara una segunda vez para ambos, sobre todo para mí y podría dejarlo solo.

Pero aquí estoy y eso debe significar que sí hubo transferencia, que Andrea despertará de nuevo y en unos años podrán verse. ¿Se querrán? ¿Algo tan cargado, con tantos recuerdos puede solo retomarse? ¿Es retomar o es recomenzar? Cuando una interacción está tan cargada, tan usada, tan pasada por el tiempo, ¿puede usarse de base para reconstruir?

Si hay una tercera vez, ¿estarán siempre seguros? ¿Cambiarán de opinión? ¿Qué pasará si se encuentran y ya no se quieren? ¿Y si renacen, se encuentran y descubren que en realidad, ante la posibilidad de una vida entera, no quieren estar juntos? Todos los miedos que me han mantenido despierta en los últimos años se mezclan con los años de estar con él, la curiosidad de querer más tiempo, la sensación de pendiente.

Yo no fui la misma durante mi segunda vida, él tampoco lo será. Cada iteración es un nuevo recorrido, es imposible repetir y, si volvemos a vernos, tendremos que construir hacia adelante, de nuevo. ¿Es eso posible? ¿No estoy intentando aprehender de nuevo algo que ya fue?

¿De qué sirve que yo piense esto de nuevo? Tanto tiempo para llegar a algo que ya pensé una vez. La decisión está tomada, estamos en tránsito. Estoy gastando mi tiempo en pensar qué pasará entre ellos, en lugar de concentrarme en estar aquí, pero no puedo dejar de pensar en todos los escenarios que nos aguardan, todas las posibilidades que no estoy segura de que existen y, que de existir, en realidad no viviré. Las vivirá otra Andrea. Todo lo que recuerdo, no lo he vivido realmente, todo lo que imagino, no lo viviré tampoco. Soy solo un momento perdido, un montón de pensamientos, de posibilidades que nunca pasaron. Sería mejor que me acostara de nuevo, cerrara los ojos y esperara a que terminara la carga.

No hay diferencia entre estos minutos y toda una vida. Al final es lo mismo para todos, el tiempo siempre está corriendo. En mi caso el tiempo es más corto, pero, después de morir dos veces, ¿realmente querría recordar el tiempo de no existir? ¿Los minutos entre que soy una y soy de nuevo?

Lo que espero es que al final todo tenga sentido, que antes de respirar de nuevo, entienda algo importante. Siento como si estuviera esperado que pasara algo y ahora lo que sea que iba a pasar ya pasó. O tal vez no. Tal vez está a punto de pasar o tal vez le va a pasar a alguien más o tal vez yo solita he desaprovechado los momentos que tenía para estar aquí y ahora todo esto será solo un interludio. Pero, ¿no viví ambas vidas de la misma forma? Siempre en tránsito de un momento a otro de mi vida, de una meta a otra. Tal vez desperdicié el único momento en el que estaba estática, en el que podía tomarme el tiempo de entenderlo todo, esperando que algo más le diera sentido. Pienso en mi segunda vida cuando quise escribir y no encontré lo que buscaba, así que lo dejé, porque era mejor dejarlo que decepcionarme con lo irrepetible. Pero antes de morir ya no pensaba así. Me di la oportunidad de vivir lo que tuviera que pasarme. Me pregunto si escribiré o si perderé el tiempo o si lo hubiéramos perdido de cualquier forma sin el accidente, si hubiéramos pasado de una cosa a otra sin parar. ¿Cuándo se vive de verdad? ¿Cuándo se empuja hacia adelante? ¿Cuándo se detiene uno? ¿He perdido aquí otra oportunidad?

La pantalla se apaga.

Coloco una mano sobre la pared. ¿Ahora qué? ¿Es una señal de que todo se acaba, que Andrea está a punto de despertar? Siento una aceleración en mi interior, quisiera comenzar a correr sin dirección, quisiera irme lejos, no tener que enfrentarme a lo que viene. Debajo de mi palma siento un movimiento, como si la pared estuviera hecha de ladrillos y estos se reacomodaran. Pero en lugar de la transformación fantástica que espero por mis lecturas de niña, sencillamente aparece una línea negra y en un segundo donde solo había una pared hay una puerta de madera clara. Es la puerta de mi casa en México, donde crecí la primera vez. El pomo es de metal dorado y está frío, tan frío que se siente húmedo cuando lo toco, pero mi mano reconoce su forma alargada.

Por un momento, me decepciona la metáfora facilona de mi subconsciente. Las puertas sirven para ir a otros lugares. ¿Es esto una manera de ayudarme en la transición? ¿Es más fácil digerir la idea de abrir una puerta y cruzar al otro lado, que parpadear y no existir?

Alejo mi mano del pomo. ¿Puedo elegir no cruzar y quedarme aquí? ¿Es esa la razón por la que el procedimiento no funciona siempre? ¿Habrá conciencias que eligen no cruzar, que después de ver pasar todos sus recuerdos frente a ellas, toda la pérdida y disociación de volver a vivir, deciden quedarse, no despertar? ¿Quiere decir esta puerta que puedo decidir?

Pero, ¿realmente tengo otra opción? Ya estuve aquí antes, hace mucho tiempo y aunque no lo recuerdo, ella, la primera Andrea en tránsito, debió cruzar. Estoy segura de que no rechistó, que tomó el pomo y abrió la puerta y se abalanzó al otro lado sin esperar todos los años que tendría por delante, sin pensar que pasaría toda una vida con dudas sobre esa decisión. Todo este tiempo pensé que había decidido al marcar una casilla en una forma burocrática, sin pensarlo bien, cuando en realidad estuve aquí, frente a esta puerta y elegí después de ver lo poco que había de mi vida entonces. ¿Cómo no iba a elegir regresar después de esos veinticuatro años? Tal vez esto no es una historia de amor, sino una historia de conciencia o una historia de autodescubrimiento o más bien no es ninguna historia, pero es lo de siempre, entender quién soy, una y otra y otra vez.

Y es que yo también soy Andrea. Soy la persona de todos esos recuerdos, la niña que no podía negarse a un reto, la mujer que no podía no darse la vuelta y saludarlo, la joven que no podía no marcar la casilla de la RA. Ellas y yo somos la misma. No puedo quedarme aquí. No puedo no saber qué va a pasar, no cuando he llegado tan lejos. Tomé la decisión de cruzar una

vez y ahora no puedo no tomarla de nuevo. ¿Tiene eso sentido?
No puedo no intentarlo.

99.9%

Esto es lo que va a pasar:

Cruzaré la puerta, olvidaré mi tiempo en el limbo y despertaré.

Cierro los ojos. Tomo el pomo de nuevo. Respiro profundamente. Aquí vamos. Estoy a punto de nacer por tercera vez.

Upload Completed

AGRADECIMIENTOS:

Este libro recibió el Premio Nacional Gilberto Owen 2018 en la categoría de cuento. Versiones preliminares de algunos cuentos aparecieron en *Antología de Jóvenes Creadores del FONCA Generación 2016/2017 Primer Periodo*, la colección *Léeme*, la antología *Alucinadas IV*, la revista *Tierra Adentro* No. 224, *Samovar Magazine* Issue 2 y la revista *Timonel*.

Escribí y edité *Ansibles, perfiladores y otras máquinas de ingenio* entre el otoño de 2014, cuando me mudé a Iowa City a estudiar, y el invierno de 2018 cuando vivía en la Residencia de Estudiantes de Madrid. Durante esos cuatro años, aprendí a escribir cuentos y encontré un primer portal a la ciencia ficción. Por eso primero, les agradezco a mis compañeros del MFA y a Horacio Castellanos Moya por haberme tenido pacien cia mientras me tropezaba y experimentaba para encontrar una entrada a la ciencia ficción. En IC también me encontré con Kevin Brockmeier, Amanda Kallis y otros amigos del Workshop y de Traducción, que me ayudaron a crear y mejorar los futuros de los primeros cuentos.

Una vez encaminada, tuve la suerte de obtener una beca del programa Jóvenes Creadores del FONCA durante el periodo 2016/2017. Luis Jorge Boone y mis compañeros (Dulce, Daniel, Gerardo, Israel y Tavo) fueron un apoyo clave para escribir y encauzar las primeras versiones.

En el verano de 2017 obtuve la Michael & Elliot Alexander Scholarship para asistir al programa Clarion West. En Seattle, pasé las seis semanas más productivas e intensas de mi vida. Escribí en inglés tres de los cuentos de este libro y conocí al Team Eclipse que no solo leyeron y comentaron la primera versión de esos tres cuentos, sino que han sido una compañía invaluable en mi vida desde entonces.

Una vez que tuve un borrador del libro, mucha gente leyó diversas versiones de los cuentos y me ayudó a editarlos. Entre ellos Juan Margalef criticó mis finales y se aseguró de limpiar todas las erratas que tenía el documento. Nina Castro, Alicia Hernández, Emilio Pradal, mis queridas Mexiconas, los amigos de la Resi y más personas me ayudaron a no perderme y confiar en que estos cuentos tenían cabida en el mundo. Una mención especial la merece Karen Villeda, que fue la mano mágica que envió este libro al premio Gilberto Owen. Ganar ese premio con ella fue una de las experiencias más bonitas de escritura que he tenido.

Finalmente, este libro encontró su lugar en la Editorial Almadía. Le agradezco a Guillermo, Vania, Gustavo, Rodrigo, Dulce y el resto del equipo de Almadía la cálida bienvenida que me han dado y la emoción que me han transmitido cada vez que hemos discutido el libro. No podría pedir mejor casa.

Por último, le agradezco a mi familia, sobre todo a mis padres. Ellos leyeron todos estos cuentos mientras los escribía, me criticaron y me alentaron por igual. Me han apoyado desde que comencé a escribir de todas las maneras posibles y sin ellos no habría gozado del tiempo, el espacio y la concentración para aprovechar al máximo todas las oportunidades que se me han presentado. Gracias por todo.

ÍNDICE

Andrea Chapela (Ciudad de México, 1990) se graduó como química en la Universidad Nacional Autónoma de México y estudió la maestría en Escritura Creativa en la Universidad de Iowa, Estados Unidos. De 2009 a 2015 publicó la tetralogía *Vâudïz* (Editorial Urano) que empezó a escribir a los 15 años. Fue becaria del programa Jóvenes Creadores del Fondo Nacional para la Cultura y las Artes de México en 2016 y 2020 y del Ayuntamiento de Madrid en una residencia de escritura en 2019. En un lapso de dos años fue galardonada con tres de los premios más destacados de México: el Premio Nacional de Cuento Juan José Arreola por el libro *Un año de servicio a la habitación* y el Premio Nacional de Literatura Gilberto Owen por *Ansibles, perfiladores y otras máquinas de ingenio* en 2018, y el Premio Nacional de Ensayo Joven José Luis Martínez por *Grados de miopía* en 2019. En 2021 fue incluida por la revista *Granta* en su selección de los 25 mejores narradores jóvenes en español.

ANSIBLES,
PERFILADORES
Y OTRAS MÁQUINAS
DE INGENIO

de Andrea Chapela
se terminó de
imprimir
y encuadernar
en mayo de 2022,
en los talleres
de Romanyà Valls,
Plaça Verdaguer 1, Capellades,
Barcelona, España.

Para su composición tipográfica se empleó la familia Bell Centennial.
El diseño es de Alejandro Magallanes.
El cuidado de la edición estuvo a cargo de Dulce Aguirre.
La formación de los interiores la realizó Ana Paula Dávila.
La impresión de los interiores se realizó sobre papel Ivory Oria Bulk
de 80 gramos y el tiraje consta de 1000 ejemplares.